楽しく学べて成績アップ！

東大式ふせん勉強法

小学校
高学年以上
向け

プラスティー教育研究所代表 清水章弘

Discover
ディスカヴァー

はじめに

　子どもの頃、シールが大好きでした。はがすのも、貼るのも、眺めるのも、うれしくて仕方がなかったのを覚えています。

　小学生になると、黄色いシールの束を母に渡されました。

「これはポスト・イット。文房具よ」

　そう言って、目の前で母は1枚をはがして、本にペタッと貼りました。

「シールじゃないか！　これを文房具に使えるなんて、楽しすぎる！」

　シールが好きだった僕は、心の中でそう叫びました。母の目を盗み、はがして貼ったり、絵を描いて貼ったり。おもちゃのように使いました。

○　ふせんのおかげで、東大に現役合格！！

　正しい使い方を始めたのは、小学校の高学年のとき。ドリルや問題集の中で、わからない問題があるページの、上部に貼るようになりました。ふせんがちょこんと顔を出すような感じで。

「どれくらい顔を出させよう？」と遊び半分で、楽しく使うようになりました。

　実は、それまでは「わからない」と言うと「あとで質問させられる」「がんばらなければいけない」と思って、あまり「わからない」と言いたくなかったのです（笑）。

　しかし、ふせんを使うことで「シールを貼る」という楽しさが加わり、どんどん貼るようになっていきました。

　本当にふせんに感謝するようになったのは、高校時代でした。僕は高

3のころ、東大の模試は「D判定」……。なんとしても成績を上げたいと思って、勉強法を見直していました。

そこで思いついたのが、ふせんを使った「暗記ドア」（→p.18参照）という暗記法。**見事に急カーブで成績が上がり、奇跡の逆転を果たした**のです。

無事に現役で東大に合格し、しばらくして僕は、本で勉強法を紹介するようになりました。もちろん、ふせんを使った勉強法も入れて。

その頃には、うちの母が言っていた「ポスト・イット」は製品名（ポスト・イット® 製品）で、一般的な名前は「ふせん」であることも知るようになりました。

本や講演で「ふせんをこう使うと、勉強が楽しくなりますよ。僕はそれで成績が上がりました」と伝えていたら、2019年に、ポスト・イット® ブランドのアンバサダー（大使）に任命していただけることに！　光栄な思いでした。さっそく母に感謝の報告をし、喜びを分かち合ったものです。

そしてこのたび、出版社のディスカヴァー・トゥエンティワンさんとのご縁もあり、『東大式 ふせん勉強法』として1冊の本にまとめることができました。

僕が子どもの頃からずっと続けてきた「ふせん勉強法」を、こうやって世に送り出すことができて、晴れやかな気持ちです。

○　なんと96.5％の子どもが、効果を実感！

「え！　こんな使い方あったの？」

とびっくりされるかもしれません。でも、安心してください。これらの「ふせん勉強法」は驚かせようとしてつくったマニアックなものではなく、僕がずっとやってきていて、うちの塾の生徒にもおすすめしているような、現場に根づいた勉強法なのです。

さらに、この本を出すために、アンケートも実施し、子どもたちが効果を実感してくれていることも確認済みです。意見も書いてもらい、より使ってもらいやすいよう、改良もしました。

そしてなんと、**「やってみた子どもたちの96.5%が効果を実感」**というエビデンスを得ることもできました。

※ 259人の小中高生のうち250人が「今後も勉強に取り入れたい」と回答（プラスティー教育研究所調べ）。

「今はこんな勉強法があるんだ」

「清水は学生時代、こうやって成績を上げたのか」

そう感じていただきながら、ぜひ親子でこの本を読み、気になる勉強法からとにかく実践してもらえたらと思います。

この「ふせん勉強法」から、1つでも多くの勉強法がみなさんにフィットし、成績が上がり「勉強って楽しいかも！」と思ってくれたら、著者冥利（アンバサダー冥利!?）に尽きます。

ようこそ、「ふせん勉強法」の世界へ！

東大式ふせん勉強法　目次

第 1 章　[入門編]　そもそも、ふせんってどう使う?

第 2 章　「覚える力」をつける!

第 3 章 「インプット」が上手になる!

第 4 章 「ケアレスミス」を減らす!

第 **5** 章 「時間の使い方」が
得意になる!

第 **6** 章　「英語力」をつける!

第 **7** 章　「書く力」をつける!

入門編

そもそも、
ふせんってどう使う？

▼

「ふせん勉強法」を今日からスタートするみなさんに、
まずは、ふせんの基本からお伝えします。
僕は、ふせんの使い方を「4つの基本形」でとらえています。
第2章からはくわしく解説していきますので、どれかが気になった
人は、そのページに飛んでみてくださいね。

① 目印をつける

　「ふせんと言えばこれ!」という使い方です。「はじめに」で書いた、僕が小学生のときに最初に出会った使い方もこれです。

　ポイントは、「ふせんの頭」をどれだけ出すか。

　また、何色かに分けて、色に意味を持たせるのもいいでしょう。たとえば、「ふつうは黄色を貼り、必ず見直したいものにはピンクを貼る」のように。1色しかない場合は「ふせんの頭」の出し具合で優先順位を表してもいいと思います。

「書き込み読書メモ」(P.30),「ふせんで辞書引き学習」(P.42)

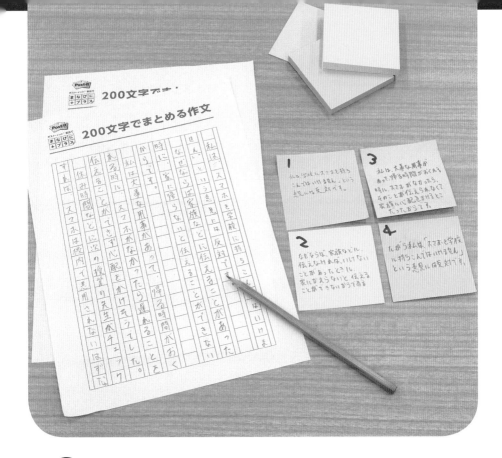

② アイデアを出す

　ビジネスの会議でもっとも身近な使い方です。これを学習用に応用する場合は、発想するときに使うのが有効です。たとえば、自由研究やレポートを書くとき。頭に浮かぶキーワードを、思いつくまま書き並べてみましょう。

　気をつけるポイントとしては、正しさよりも量にこだわること。「これはさすがにやらないだろうな」というジャッジ（判定）は後でやればよいので、まずはたくさん書き出すことに専念してみてください。

「ふせんで記述分解」（P.104）

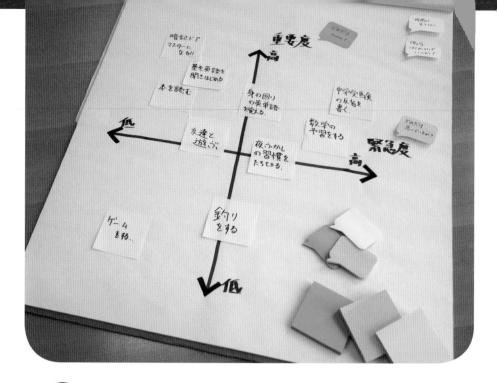

③ 整理する

　これは「やること管理」「時間管理」に有効です。整理は3つのステップからなります。

　1つ目は「書き出す」こと。まずは、やるべきことを書き出します。「クラス10位以内に入るためには?」というお題なら、「ノートを覚える」「問題集を3回やる」「授業をきちんと聞く」などを書いていきます。

　次は「グループ化する」こと。近いものをグループにして整理していきます。先ほどの例で言えば、「授業前」「授業中」「授業後」「テスト直前」の4グループに分けると、上手に整理できるはずです。グループ分けするなかで、重なるものは1つにまとめます。

　最後に、優先順位をつけて、やるべき順に並べれば完了です。

「時間管理のマトリクス」(P.68)

④ メモをする

　中学生や高校生を見ていると、この使い方をしている子が増えているように思います。教科書などに直接書き込みたくないからでしょうか。

　ふせんを使うことで、メモ欄を自分でつくることができます。授業中に先生が言ったことを、ノートではなく、ふせんに書くのです。

　ふせんなら、すでに美しく囲まれていますし、色もついています。見栄えがよくなるわけですね。

　ここで重要になるのは、ふせんの選び方。「のりづけがどれだけされているか」を基準に選びます。貼ったあとに、ふせんの「下」を見ることはない場合（たとえばノートの表紙裏側に貼ったとき）は、ふせんの全面にのりがついているものを選ぶのがおすすめです。

「ミスらんノート」(P.52)、「おうち英語図鑑」(P.90)、「書き込み読書メモ」(P.30)、「ふせんノート」(P.35)

第 **2** 章

「覚える力」を
つける！

● ゲーム感覚で楽しく覚えられる　「暗記ドア」
○ コラム1　「制限」が自由な発想を生む？

ゲーム感覚で楽しく覚えられる
「暗記ドア」

ふせん勉強法で「何から始めよう……」と迷った方は、ぜひこの
「暗記ドア」から！　僕は「このやり方で東大に現役で合格でき
た」と本気で思っています。

ルールはかんたん。覚えたい内容を問題にして、ドアや冷蔵庫に貼
ります。そして問題に答えられるまでドアを開けられない、というルー
ルをつくるのです。「覚える→開ける」という一連の動きが、ゲーム
のようで楽しく暗記ができますよ。

使い方

用意する
もの

**75mm×75mmのふせん、
覚えたいノートや教科書、筆記用具**

① 覚えたいことを問題形式にする

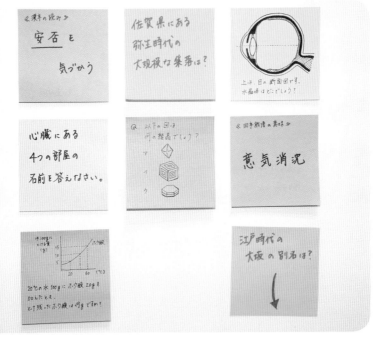

　ノートや教科書の中から「覚えたい！」と思うことを、問題にして書いてみましょう。たとえば、1603年に江戸幕府を開いた人（徳川家康）を覚えたいときは「1603年に江戸幕府を開いたのは誰？」と書いてみましょう。

　「一度にたくさん覚えたい！」という人は「1603年に誰が何をした？」のように、答えるものを増やしてみるのがおすすめです。

② ふせんの裏に答えを書く

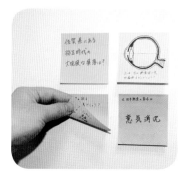

つくった問題の答えを裏に書きましょう。先ほどの問題（「1603年に江戸幕府を開いたのは誰?」）であれば「徳川家康」と書きます。裏に書いておくことで、あとで解けたときに答え合わせができますし、解けなかったときにはチラッと確認することができますからね。

問題をつくるのが苦手な子は、「覚えたいこと」をそのまま書いてもかまいません。

③ ドアに貼る

どのドアから貼ってみてもかまいませんが、家族のみなさんが許してくれる場合は、リビングの内側（リビングから出るときに見る側）のドアから貼ってみましょう。いろんな人の目がある場所のほうが、続けやすいからです。

覚えたいことがさらにある人は、リビングの外側（リビングに入るときに見る側）のドアにも貼ってみましょう。

ちなみに、どうしても覚えたいものはどこに貼ればいいかわかりますか? 正解は、**トイレ**です。なぜならば、もっとも開けたいドアだから。「あぁ、早く開けないと……!」とすぐに覚えられます。そのまま開けられないと大惨事になりますから、まさに「火事場の馬鹿力」、なんて……。

④ 覚えたらはがす

　ずっと貼りっぱなしにすると、「覚えよう！」という気持ちがうすれてしまいます。**3回連続で答えられるようになったら、はがすようにしてください。**ただ、1日で3回だと「覚えたつもり」になってしまいます。

　人間は、寝ているときに記憶が整理されます。起きてもう一度確認をしたいところ。ですから、貼ったその日のうちには、はがさないようにしてくださいね。

さらに一歩！

**より効果的にやりたい人は、
続けて、以下の手順で暗記するのがおすすめです。**

❶ はがしたものはトイレの内側のドアに貼る

　「暗記ドア」で貼ったふせんのうち、3回連続正解できたものは「覚えた！」と認定してOK。はがした後は、捨てずに、トイレの内側のドアに貼っていきましょう。

② 覚えられなかったものは、「目立つ色のふせん」に変えてもう一度書く

　ちなみに、このとき、どうしても覚えられないもの（3回連続で正解できないもの）は、目立つ色のふせんに変えて、もう一度書くようにしましょう。**もう一度書くことで頭に入りやすくなります。**

　目立つ色にするのは、理由があります。ドアに貼ったとき「あ、これは気をつけて覚えなきゃな」と一目でわかり、意識を集中させることができます（このためにも、最初に書くふせんは、淡い色で統一しておくのがいいでしょう）。

　そして、3回連続で正解できたものは、はがして、これもトイレの内側のドアに貼るようにしてください。

③ 毎週日曜日に、まとめて総復習テスト

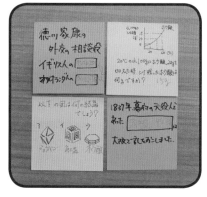

　トイレの内側に貼ったものは、日曜日の夜にまとめて総復習テストをします。1週間に覚えたものを、一気にすべて確認するのです。このときも、

目立つ色のふせんを意識しつつ、全問正解を目指してください。

❹ どうしても覚えられなかったものは、ノートの表紙裏側に貼っておく

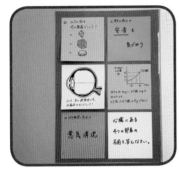

　　　　総復習テストで間違えたものや、「直前にもう一度復習したい！」と思ったものは、ノートの表紙裏側に貼り替えましょう。

　　　　テスト直前に、もう一度ドアに貼り、「暗記ドア」で覚えてもいいですし、ノートに貼ったまま繰り返しテスト（解いたらめくって確認するだけ！）をしてもいいです。

❺ 結局、ドアからはがせなかったものは……

　3回連続で正解できたものは、ドアからはがすことができますが、何回ドアを通っても覚えられないものもあります。その場合は、もう回数の問題ではありませんので、工夫をしてみましょう。

　たとえば、「理解しなおす」。丸暗記をするのではなく、意味を理解すると覚えやすくなります。ほかには、「細かく分けてみる」。覚えようとしている知識を細かく分けてみて、1つずつ覚えてみるのもいいでしょう。

　このように、「回数の問題ではない」とわかるのも、暗記への第一歩です。どんどん工夫を重ねて、記憶を定着させてみましょう。

やってみて
どうだった!?

「友情」
の作者は?

「レ・ミゼラブル」
の作者は?

「山椒大夫」
の作者は?

暗記ドアをする前はおぼえれるか不安だったことも実際にしてみると
頭につぎこむより楽におぼえられました。長時間おぼえたいことが
あるときに便利です!!

清水先生の
コメント

この生徒は、裏側の答えのところに、
覚え方（ゴロ合わせ）を書いてました。工夫がグッド！
線を引いたり色をつけたりして
強調してもいいでしょう。

保護者の方へ

— ∨ —

　ただノートや教科書を眺めているだけでは、なかなか知識は増えません。そんななか、この「暗記ドア」は単純に見えて、理にかなった勉強法です。

　まず、**「自分で問題をつくる」**というところがポイント。テスト形式（アウトプット形式）を意識するようになるからです。そして、その問題を解くことによって、記憶しやすくなります。人は、アウトプットするほうが、記憶（インプット）しやすくなりますからね。

　そして、何度も部屋を通ることで、自然と復習ができます。この繰り返しによって、記憶が強化されていくのです。また「覚える→開ける」という動きがゲーム形式で楽しく、さらに「はがす」ことが達成感につながります。

　保護者のみなさまがサポートする際、注意点が1つだけあります。毎日貼っていると、（たとえばリビングに貼る日本地図のように）子どもにとって「風景」になってしまうことがあります。「覚えたらはがす」のが基本ですから、しばらく同じものが貼ってあった場合は「これはもうはがしていい?」と聞いてみるようにしてください。

　うちの塾では、この「暗記ドア」を推奨しています。塾内でアンケートを取ったところ、**92％の生徒が効果を実感し、「今後も勉強に取り入れたい」**と答えていました。ぜひ、ご家庭でもやってみてください。

ま と め

　僕は、東大入試の直前、どうしても社会（歴史）の点数が伸びませんでした。センター試験の1か月前に、世界史で50点くらいしか取れなかったのです。東大合格者は90点以上が当たり前ですから、40点も上げなければいけない……「どうにかして覚えたい！」といろんな方法を実験しましたが、この「暗記ドア」を思いついて、世界が変わりました。

　問題を書くことで覚えられるし、繰り返すことで記憶が強化される。結果、93点を取ることができました。

　センター試験は暗記中心ですが、東大の二次試験は論述も出ます。ただ、論述といっても、短い記述問題の組み合わせ。それを暗記ドアにして、覚え続けました。

　その結果、驚く結果に……！　東大の二次試験は難しいので、6割で合格点なのですが、一番苦手だった世界史が8割も取れたのです。逆に「もし、このやり方を思いついてなかったら……」と考えたらゾッとしますね。

　この勉強法には心から感謝しています。**テスト前にガーッと集中的にやるのがおすすめです。**

「制限」が
自由な発想を生む?

　最近、「英単語暗記用」「社会の暗記用」など、さまざまなふせんが売られています。もちろん面白い発想なのですが、文房具オタクの僕は、何も書いていないふせんが好きです。

　これまでのふせんは、大きさも形も、ほとんど決められていました。子どもの頃は「ちょっと使いにくいな……」と思っていましたが、少しずつ年を重ねるごとに「逆に面白い」と考えるようになりました。

　なぜならば、大きさや形は決まっていますが、その制限のおかげで、使い方は自由な発想で考えるようになったからです。

　この本にも書いていますが、「ふせん勉強法」のメインの1つである「暗記ドア」を思いついたのは高校生の頃。子どもの頃はただ、また開くところに貼っておく「しおり」や「ドッグイヤー」のように使っていましたが、「ずっと家にあるこの不便なもの（失礼!）を、あえて面白くつくり変えてしまおう!」と発想を転換することで、ポンポンと新しい「ふせん勉強法」を思いつくことができました。それらのおかげで東大に現役で入ることができた、というのは先述のとおりです。

　実際に、最近の研究では**「制限があるほうが自由な発想が生まれやすい」**と言われています。「WIRED」の2011年11月22日に書かれた記事、「『制限』が創造性を高める理由」によれば、詩には制限があるという例とともに、こう書かれています。「形式があるおかげで、より大局的

な思考が行われ、平凡な連想を超えた、オリジナルな詩が生み出される」と。

　たしかに、俳句にしても短歌にしても、「五七五」や「五七五七七」といった、非常に強い「型」、つまり制限があります。最近だとTwitter（140字）もそうです。しかし、逆にこの制限のおかげで、「どのくらいの長さを書こうか」と頭を悩ませる必要はなくなり、意外なアイデアを生み出すことができるのですね。

　話は少しずれますが、僕は男3人兄弟の末っ子。言われてみれば、つねに「制限」ばかりでした。物はすべて「おさがり」で、初めて洋服を買ってもらったのは中学生の頃。学校で使う絵の具セットなんて、父の何十年も前のものを「おさがり」させられていました。

　母に文句を言っても、「うちはうち、よそはよそ」。徹底的に買ってもらえません（一方、本や文房具は買ってくれました）。でも、その不自由さのおかげで、「今あるもので何か工夫しよう」「ちょっと壊れていても、何か使い道はあるはずだ」と発想力が鍛えられました。

　先ほどの「WIRED」の記事は、イギリスの詩人、チェスタトンの言葉を使ってこのように締めています。「芸術は制限のなかにある。絵画において、もっとも美しい部分は枠だ」。

　みなさんも、あえて制限のある「ふせん」を使って、いろんな使い方を考えてみてはいかがでしょうか。そこで鍛えられた発想力が、転じて、いつか勉強に仕事に、成果として表れてくると僕は確信しています。

第 **3** 章

「インプット」が
上手になる！

∨

- ●インプットが上手になる！「書き込み読書メモ」
- ●言葉が増える！「ふせんで辞書引き学習」

インプットが上手になる！
「書き込み読書メモ」

本や教科書を読むとき、「読み流すだけ」ではなかなか学力がつきません。考えたり覚えたりしながら読むのが有効です。自分の考えを書き込みながら読むことで、理解力や思考力がついていきます。

ただ最近は、本や教科書に直接書き込むのをためらう子が増えているように感じます。

そんなときに活躍するのが、ふせん。ふせんに書いてから貼ると、本や教科書を汚さずにすむだけではなく、目立たせることもできます。

「書き込み読書メモ」を応用した「ふせんノート」も合わせて活用してみてください。

使い方

用意する
もの
**75mm×25mmのふせん、
本や教科書・ノートなど、筆記用具**

① 「あとで何を復習しよう」と
考えながら読む

　本や教科書は、1回読むだけでは力がつきません。小説や趣味の本とは違い、力をつけるためには「3回」読み返してほしいところ。長い時間をかけて1回やるのではなく、分散させて繰り返すのがコツです。

　よって、1回目に読むときは「次に何を復習すればいいかな」と考えながら、本や教科書と接するようにしてください。その「復習前提」の気持ちが、学力アップの第一歩です。

② 復習したいところにふせんを貼る

　ふせんを貼るときには、「どうして貼ったのか」を書いてから貼るようにしましょう。感想や考えたことをメモしながら読み進めるのです。なぜなら、あとで読み直したときに、「なぜここに貼ったんだろう?」とわからなくなってしまうからです。

　本に直接書き込める人は、どんどん書き込んでみましょう。透明フィルムのふせんを使えば、文章の上に貼っても文字が隠れてしまうことはありません。

　さらに、「いつ復習するか」までふせんに日付を書いておくと、より強く意識づけができます。最初に覚えたときの記憶は、「短期記憶」、つまり、

すぐに忘れやすい記憶に分類されます。

それを「長期記憶」に変えていくためには、時間を置いてから復習をするのがいいと言われています。ただ、時間を置きすぎると、完全に忘れ去ってしまう可能性もありますし、復習そのものを忘れてしまう可能性もあります。ですから、「毎週日曜日は、その週の（余裕がある人は、それに加えて前の週の）総復習から始める」というルールを決めておくといいでしょう。

また、「ふつうは黄色のふせんを貼り、必ず見直したいものにはピンク色を貼る」といった、ふせんの色とルールを結びつけるのもおすすめです。

③ 表紙裏に「トリセツ」を書く

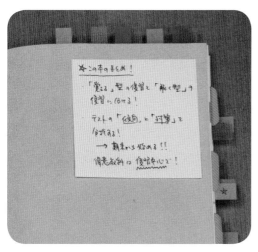

トリセツとは、「取扱説明書」のこと。自分が次にその本を読むときに気をつけたいことを書いていきます。貼る場所は、表紙の裏側。

書くタイミングは、読み終わってからでかまいません。次回読む自分に対して、「手紙」を書くようなイメージですね。

たとえば、次のようなことを書きます。

・・

● かかった時間

例：「1ページ30分」「1問5分」

● 気をつけること

例：「応用問題が難しかったので、重点的に復習すべし!」

　　「第3章に時間がかかったので注意!」

● 感想メモ

例：「このおかげで、テストで90点が取れた」

　　「覚えるのに時間がかかった」

　　「思ったより楽しかった。漢字が好きになった」など

・・

　高校生以上は、本の要約を書くようにすると国語力アップにつながります。そのメモを使って、周りの人に「こんな本だったよ。ここが面白かった」と話すようにすれば、頭の中も整理ができるので、おすすめです。

　ちなみに、メモ型のふせんというものもあります。広いスペースが必要な場合は、活用してみてください。

より効果的にやりたい人は、
続けて、以下の方法も試してみてください。

① 参考書や問題集には「何のために？ いつまでに？」を書いておく

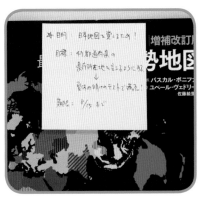

　これは読みはじめるときに書きます。勉強に限らず、目的意識（何のためにやるのか？）を持って行うときと、持たずに行うときとでは、結果が大きく変わってくるからです。

　取り組む前に、以下の3点を決めておくと、努力が結果に結びつきやすくなります。

（目的）何のためにやるのか？

例：「計算力を上げるため」
　　「日本地図を覚えるため」

（目標）具体的に何を目指すのか？

例：「次のテストの第1問の計算問題で満点を取る」
　　「47都道府県の県庁所在地を言えるようにする」

（期限）いつまでに終わらせるのか？

例：「夏休みが終わるまで」
　　「6月27日まで」

② 「ふせんノート」をつくる

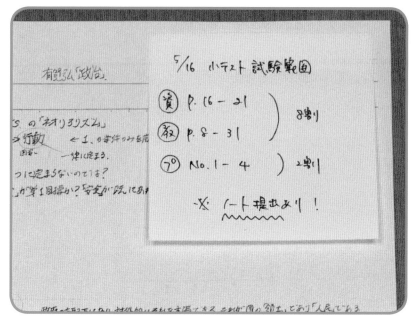

「書き込み読書メモ」を応用すると「ふせんノート」になります。

　ノートを書いていると、「スペースが足りないな」と感じることがありますよね。

　追加で書きたいときは、ふせんに書いてしまうのがおすすめです。「板書はノートに書き、メモはふせんに書く」といった「すみわけ」のために、ふせんを使ってもよいでしょう。

　特にふせんに書いてもらいたいのは、次回までの宿題や持ち物。ふせんに書いて貼っておくことで、目立たせることもできますよ。

　僕は自分の授業のなかで、忘れ物が多い子には、ピンクの目立つふせんを渡して、その場で書いて貼っておいてもらっています。あえて大きめ

（75mm×75mm）を選んでいるので、パッと目にとまりますよね。

　余裕がある子は、授業中に質問したいことや、あとで調べたいことを、ふせんにメモしておくのもよいでしょう。

③ 海外の「リーディング・ワークショップ」の事例を参考にする

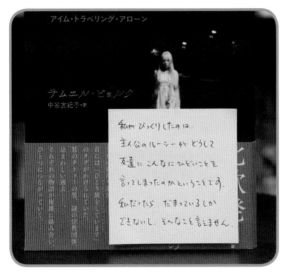

　アメリカの教育者であるルーシー・カルキンズ氏は、読むことが好きになる学び方として、ふせんを使った読書法を提唱しています。

　ここでは、僕なりの解釈を加え、ルーシー・カルキンズ氏の手法を少しアレンジした方法を紹介します。よろしければ参考にしてください。

　また、この方法は子どもだけで行うのは難しいので、ぜひご家族で一緒にチャレンジしてみてください。

●子どものレベルに合った本を選ぶ

・親も熟知している本、もしくは親子で読み合える本がよいでしょう。

・親が一度読んでいる場合でも、お子さんが学校に行っている間に読み直しておきます。

●気になるところにふせんを貼りながら読む

・ふせんは、大きめ（75mm×75mm）と小さめ（75mm×25mm）の2
種類を用意します。

・親子で書く場合は、違う色のふせんを使うのがおすすめです。

・ふせんには、感想を書きながら読んでいきます。「楽しかった」「面白
かった」という感想しか出てこない場合には、「話しはじめの言葉」
を次のようにしてみるといいでしょう。

　　　――私が驚いたのは、……

　　　――私が「どうしてかな」と思ったのは、……

　　　――もし、このことが起こらなかったら（もし、逆にこうなっていたら）、
　　　　……

　　　――私が思っていたことが変化したのは、……

●読んだ後に、お互いの感想を伝え合う

・本を好きになることがゴールなので、ほめ合ったり、たたえ合ったりして
ください。

・相手の意見をふまえて発言する場合は、お互いに次のような話し方を
使って意見を伝えると、スムーズかもしれません。

　　　――いま言ったことは、そう思う。というのは……。

　　　――同じように考えていたよ。というのは……。

　　　――どうしてそう思ったのか教えて。

　　　――もう少し説明／具体例がほしいな。

　　　――いま言ったことはよくわからなかったから、ほかの言い方で言っ
　　　　てみて。

　　　――言っていることはわかるんだけど、そうじゃない考え方もあると
　　　　思う。たとえば……。

なお、正式な進め方については、ルーシー・カルキンズ氏の著書『リーディング・ワークショップ──「読む」ことが好きになる教え方・学び方』（新評論）という本をご参照ください（とてもよい本です）。

　先ほどまでの例は、多くが教科書や問題集といった「お勉強寄り」でしたが、ここで紹介されている話は小説や趣味の本が中心です。また、学校でのやり方が書かれていますが、自宅用に応用することが可能な内容になっています。

　ただし、教師用、かつアメリカの事例を扱った本なので、すべてを理解しようとせず、ご自宅で使えそうな点だけを抽出するとよいでしょう。

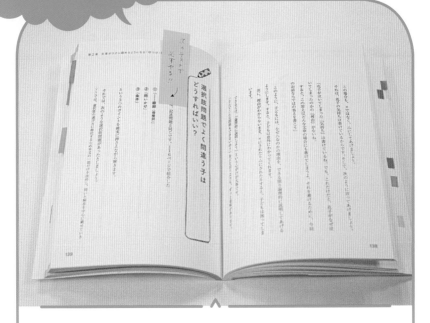

やってみて
どうだった!?

要点をまとめようと思って読むと頭に入りやすかったです。さらにいそがしいときでも
要点を見て思い出せるので便利です。

**清水先生の
コメント**

いいポイントに気づいてくれました。
「あとで知識をアウトプットしよう」と思いながら
インプットをすると、
勉強の効率はグンと上がりますよ！

保護者の方へ

―――――――― ∨ ――――――――

　先ほど紹介した、アメリカのルーシー・カルキンズ氏の実践について補足します。

　読みながらふせんを使う最大のメリットは、あとで話しあうときに、具体例を挙げながら話せるようになることです。

　これは小学生だけの話ではなく、高校生でもあることですが、「なんとなく」という理由で主人公の心情をとらえる子が多くいます。本を読む習慣がない子だけでなく、本は好きだけど国語は苦手、という子にもあてはまりがちです。自分で勝手に想像をふくらませて読んでしまうのです。

　そういった子の読解力を「矯正」するときに有効なのは、勝手な読みをしていそうなときに「どこに書いてあったの?」と聞くこと。つねに原文にあたることで、少しずつ誤読が減り、正しい読みができるようになっていきます。

　ちなみに、読書ノートをつくる場合、書いたふせんをそのままノートに貼り、そこに書き加えながらノートを完成させることもできます。自分の感想を目立たせておくこともできますし、二度書く手間を省くこともできます。

ま　と　め

　紙の本だけでなく、電子書籍もよく売れる時代になりました。電子書籍は持ち運びが便利です。かさばりませんし軽いので、僕もよく使います。

　しかし、実際に紙をめくり、身体感覚とともに知識を血肉化しやすいのは、やっぱり紙のほうだという印象があります。僕の場合は、気に入った本は紙で買い直し、ふせんを貼りながらもう一度読むようにしています。

　ふせんをフル活用した「本気の読書」は、紙ならではの読書法です。一度トライしていただいて、その過程で紙と電子書籍それぞれのよさを、ご自身で再確認していただけたらうれしいです。

言葉が増える！
「ふせんで辞書引き学習」

辞書は「知らない言葉」を調べるもの——そう習った人は多いはず。でも、それだけではありません。逆に「知っている言葉」を調べて、自分の興味・関心を広げていく勉強法があります。

その名も「辞書引き学習」。立命館小学校で校長をしておられた深谷圭助先生（現在は中部大学教授）が考案されました。そこではどんどんふせんを使い、辞書も文字どおり「変形」していくことに。

テレビ番組（MBS/TBS系「教えてもらう前と後」）で紹介させていただいたときも、大反響！ この方法、僕も子どもの頃に出会っていたかった……。今の時代、辞書は「知的な遊び道具」なのです！

使い方

用意する
もの

50mm×15mmのふせん、辞書、筆記用具

① 辞書とふせんを用意する

『三省堂 例解小学国語辞典 第六版 ワイド版』

「そもそも、どんな辞書がいいの？」と悩む方が多いと思います。

　深谷先生によると、辞書を選ぶときは、次のポイントに気をつけるとよいそうです。実際に書店に足を運び、辞書の中身を見ながら、相性をふまえて買うのがいいでしょう。

1　漢字にふりがながついていること
2　収録している言葉が多いこと
3　言葉の「活用」や「例文」が多いこと
4　豆知識のコラムやイラストが多いこと
5　表紙が丈夫でしなやかであること（ふせんをたくさん貼っても破れないようにするため）

　ふせんには、前もって番号を書いておきましょう。「10個調べたぞ！」という成果や「目指せ100個！」という目標がわかるようにするためです。「辞書引き学習」専用のふせん（辞書の余白に貼りやすいのり幅になってい

ます）も販売されています。正しいやり方を学べるので、せっかく始めるなら買ってみるのもいいでしょう。

② 「知っている言葉」を調べ、ふせんを貼る

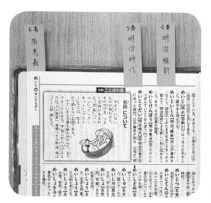

まずは、知らない言葉ではなく、知っている言葉や、興味のある言葉を調べます。「調べる」より「見つける」という発想のほうが、最初の一歩を踏み出しやすくなります。

知っている言葉が見つかったら、ふせんにその言葉を書いて貼り、意味や用例を読んでいきます。そのプロセスのなかで「知っているつもりで知らなかった！」と気がつくことができます。まさに「無知の知」（ソクラテス）です。

③ 気になった言葉を調べる

ここからが本番。1つ調べたら、読んだ意味や用例のなかで、気になった言葉を調べていきます。もちろん、ふせんも貼っていきます。言葉の世界が広がっていくことを体感しましょう。

④ ほめる／ほめてもらう

　ふせんがたまっていくと、誰かに見てもらいたい気持ちが増してきます。保護者の方に見せて、ほめてもらいましょう。また、ご家族や友達と数を競ってみるのもいいでしょう。

　見せあうときには数を知らせるだけでなく、「こんな言葉を調べてみたよ」「これが面白かったよ」と共有すると励みになるはずです。

⑤ 習慣にする

　「辞書引き学習」はゲーム感覚でやれるので、それ自体が面白く感じられます。次のことに気をつけると、さらに続けやすくなります。

● 辞書はケースにしまわずに、リビングや机に「出しっぱなし」にする

　ケースにしまうと、ふせんが折れてしまいますし、次に再開するハードルが少し高くなってしまいます。今は、インターネットでも「ワンクリック」で何かをする時代ですから、手間があると続けにくくなります。

　ケースは別の場所に置くか、いっそのこと捨ててしまって（迷いも捨てることができます）、本体を裸の状態でいつも手が届くところに「出しっぱなし」にするのがおすすめです。

● 言葉を使ってみる

　調べた言葉を実際に使ってみることで、辞書引き学習の意味を実感することができます。少し慣れてくると、漢字テストに出題される熟語も調べやすくなるはずです。テストで即効性もありますね。

　ただ楽しいだけでなく、「意味がある」という納得感があると、継続しやすくなります。

やってみて
どうだった！？

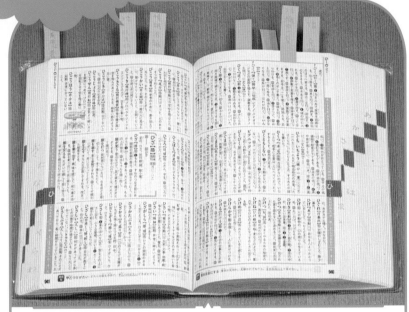

知らなかったことも知っていた言葉と関連づけておぼえられるので、時間があるとき
にじっくりやると楽しめます。また、書いてあることを予想することで当たったときの
達成感が味わえます。

**清水先生の
コメント**

「明治時代」の後に「江戸時代」を調べていましたね。
「江戸時代」を調べる前に、「明治時代」の解説を読んだ時点で
「江戸時代はどんな解説か」を予想すると
楽しくなりますよ！

保護者の方へ

「辞書引き学習」の最大のポイントは、「言葉を学ぶ楽しさ」に気がつくことだと思います。

人は言葉を通して考えたり、伝えたりします。国語が嫌いな子がいても仕方ないとは思いますが、言葉が嫌いになってしまったら、考えたりコミュニケーションを取ったりすることが苦手になってしまいます。そんな事態は避けたいところ。

僕は、言葉が増えることにより、考えることや伝えることが上手になり、それらを好きになってもらいたいと願っています。

ちなみに、「辞書引き学習」は漢字辞典や英語辞書でも応用ができます。漢字辞典を使ったやり方には、「部首を覚えて、部首さくいんを活用する」など漢字のイメージを広げる方法もあり、学力向上に有効です。

興味を持たれた方は、以下の深谷先生のホームページや、ご著書で学んでみてはいかがでしょうか。

http://www.jishobiki.jp/

ま と め

　僕の塾には京都校があり、立命館小学校の生徒さんも多くいます。僕が教えている子たちに「辞書引き、やってる?」と聞くと、「うん!　好き!」と答える子ばかり。やっぱり楽しい勉強法が一番ですよね。

　ちなみに、インターネットで「辞書引き学習」と検索してみると、いろんな写真が出てきます(SNSのインスタグラムでハッシュタグ検索をしてみても、「インスタ映え」する驚異的な辞書を数多く発見しました)。「世の中にはこんな子がいるのか!」とモチベーションを高めるために、検索してみるのもいいかもしれません。

　深谷先生のホームページによると、「辞書引き学習」は海外にも広まっているそうです。素敵なことですね。もちろん、ふせんを貼ることが目的ではありませんが、この勉強法をきっかけに、自国や異国の言葉を愛する子が世界中に増えるといいですね。

第 4 章

「ケアレスミス」を減らす！

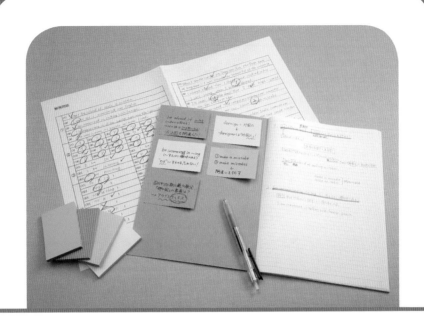

ケアレスミスを減らす！
「ミスらんノート」

この仕事をしていると、「うちの子、ケアレスミスばかりで……」という相談をたくさんいただきます。

ケアレスミスを減らすには時間がかかるのも事実ですが、その期間を短くすることはできます。「どんなミスをしているのか」という傾向を分析し、「では、どこに気をつけるか」という対策を考えるのです。ここで登場する道具も、もちろんふせん。ふせんに「ミスの傾向と対策」を書いて、ノートの表紙裏側に貼っていくのです。ノートを替えるときは、貼り直せばOK。テストが始まる前に見直せば、ケアレスミスは減ります。これは、まさに「実践的なお守り」なのです！

使い方

用意する
もの

**75mm×50mmのふせん、
過去のテストの答案、筆記用具**

① 過去のテストでケアレスミスを探す

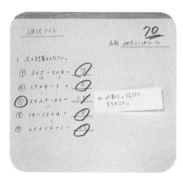

　昔のテストを捨ててしまう人がいますが、小テストも大きなテストも、過去1年分は必ず取っておきましょう。間違い直しに加えて、このような分析にも役立つからです。

　できる限り多くの答案を用意したあとにやるべきことは、ケアレスミスの認定。「これはケアレスミス」と思う問題の番号に印をつけていきましょう。

　ここで注意しておきたいのが、ケアレスミスとは「注意不足(ケアレス)から起こるミス」だということです。「おしいミス」をすべてケアレスミスと言う子がいますが、それは間違い。「確実にわかっていた(いつもは解けていた)のに、注意不足から間違えた……」と思えるのが、ケアレスミスなのです。

② ケアレスミスで落とした点数を計算し、「あるべき点数」を算出する

　ケアレスミスで落とした点数の合計を出し、「ミスしなかったら何点が取れたか」を算出してみてください。「なんとなくケアレスミスが多い」という子も、はっきりと点数で見せてあげることで、「この点数が取れるなら、ミスしたくない!」と思いやすくなります。

時間がない人は省いてもかまいませんが、「ミスらんノート」をはじめてつくる人は、一度は計算してほしいです。また、算数や数学の計算問題で点数を落としている子、ふだんは解けているはずの基本問題で落としている子には、特におすすめです。いろいろなテストで計算してみましょう。

③ 自分のミスの特徴（傾向）をつかむ

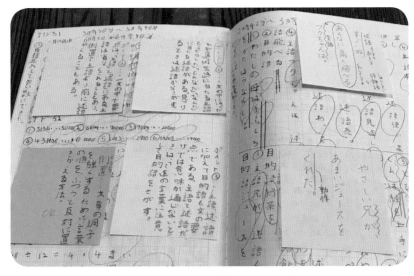

　ケアレスミスを比べてみて、ミスの特徴（傾向）を探してみましょう。

　ポイントは2つ。

　1つ目は、**急いでやること**。自分のミスと向き合うのは、誰もがやりたくないことです。「数日かけて」ではなく、一気にやってしまいましょう。

　2つ目は、**できる限り具体的に分析すること**。「計算ミス」ではなく、「かっこを外すときの符号を間違えてしまう」「たし算・引き算と、かけ算・わり算の順番を間違えてしまう」のように、どんな計算ミスをしてい

るのかを考えるようにしてください。

④ 「何に気をつけるか」（対策）を考える

　次は、「何に気をつければそのミスが減るか」を考えます。③の傾向分析は、大人が手伝ってあげてもかまいませんが、ここはいったん本人が考えてほしいところ。自分の頭で考えるトレーニングをすることで、本番で見直す力がついていきます。

　また、これは結局、「ふだんから何に気をつけて勉強するのか」を決めることになるので、自分で考えることで「やらされ感」を減らすことができます。

　ただ、ミスの対策を考えるのに慣れていない子も多いはず。その場合、以下の3つを取り入れてもらえたらと思います。

●下線を引く

　問題で聞かれていることや問題の条件に、下線を引いてください。

　たとえば、「正しくないものを選べ」と言われているのに、「正しいもの」を選んでしまう子が多くいます。出題者は、引っかけたくて出題しているわけではありませんので、とても残念なミス。「正しくないもの」に線を引く（もしくは丸で囲む）ようにしましょう。

●指さし確認をする

　駅のホームの車掌さんのように、「これはミスしそうだ」というときは、問題の条件を、指を使って確認するのがおすすめです。

　たとえば、先ほどの「かっこを外すときの符号」で間違える子は、「そ

の部分を見直すときは指さし確認をする」と決めるのがいいでしょう。

　目で見て確認をする子が多いですが、それではミスを見過ごしてしまいます。ですから、僕は生徒に「見直しは指で!」と伝えています。すべて、指でやるくせをつけるのがベストです。

●深呼吸で心をリセット

　ケアレスミスの原因の1つは「あせり」です。「時間が足りない!」とあせるときこそ、ミスが起こりやすくなります。そんなときは、深呼吸をして、心を落ち着かせてから解くようにしてください。

⑤ 傾向と対策を、1枚のふせんにまとめる

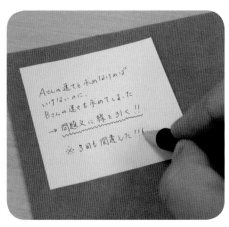

　納得感のある傾向と対策ができたら、ふせんにしていきます。ふせんの上部には「傾向（自分のミスの特徴）」を書き、下部には「対策（気をつけること）」を書いていきます。

　「このミスは算数限定」「これは社会だけ」のように、教科ごとに分かれる場合は1枚ずつでかまいませんが、「問題文の条件に線を引く」など、「これは国語と算数であてはまるな」というものは、2枚書くようにしてください。

　「これは本当にミスしそう!」と、あとで確認する優先度が高そうなものは、目立つ色のふせんに書いておきましょう。全面強粘着のふせんだと、

貼り替えもしやすいのでおすすめです。

⑥ ノートの表紙の裏側に貼る

先ほど書いたふせんを、各教科のノートに貼っていきましょう。表紙の裏側は使わないことが多いので、そこに貼っていきます。すでに使っている人は、裏表紙の裏側（内側）に貼ってもかまいません。これで「ミスらん（ミスらない＋ミスの欄）ノート」の完成です。

テストが始まる前に、必ず見直すようにしてください。そして新しいノートを使うときは、貼り替えるようにしてくださいね。その場合、新しいふせんに書き直すのも、意識づけとして有効です。

より効果的にやりたい人は、
続けて、以下の方法も試してみてください。

1 日常的に注意力を高めていく

　ケアレスミスをさらに減らすためには、根本的治療も忘れてはいけません。日々の生活から、注意力を高めてほしいと思います。

　たとえば、トイレの電気を消し忘れること。僕も子どものころ、よく注意されていました。合い言葉のように母に言われていたのが、「部屋を出るときは振り返りなさい！」。

　こういうときは、ドアノブの上や、ドアの目線の高さに「電気を消し忘れない！」と貼っておくのがおすすめ。ここでもふせんが活躍します。ドアを傷めずに、貼ったりはがしたりすることができて便利です。

2 「忘れ物防止」に活用する

　昔の僕もそうでしたが、子ども（特に男子！）には忘れ物がつきもの。お母さんが一緒に時間割りをやってあげる時期があってもいいですが、いつかはひとり立ちが必要です。

　ミスをなくすためのポイントは、「違和感」をどうつくるか。手に書く子

が多くいますが、慣れてしまうと、それも風景に変わってしまいます。新しい取り組みとして、ふせんを使ってみてはいかがでしょうか。

③ 玄関ドアの目線の高さに貼っておく

「明日持っていくものは、前日の夜に玄関に出しておく」をルールにしているご家庭は多いようですが、それでも忘れるのが子ども。

トイレの電気を消し忘れるときと同じように、「最終確認」として、玄関の目線の高さにふせんを貼っておくのもおすすめです。見慣れないものが貼ってあると、「違和感」を覚えやすいですものね。

ちなみに、その日限定のものはただ貼るだけでいいですが、ふだんの持ち物は「個数」を書いておくのがコツです。僕も玄関を出るときは、「4つ！」（財布、スマホ、鍵、AirPods）と書いたふせんをさわってから、出るようにしています。

④ 筆箱を開いたら目に入るところに貼る

　家に帰ってから必ず使うものがあれば、そこに、明日持っていくものや、やることを書いたふせんを貼っておくのもおすすめです。筆箱なら、筆箱を開けて必ず目に入るところに貼っておきましょう。「違和感」が生まれやすくなります。

⑤ ドアノブなど「触るところ」に貼っておく

　①〜④で紹介した方法がうまくいかない場合は、視覚以外の五感に訴えるのもおすすめです。

　たとえば、触覚。触るドアノブに貼っておくのです。ふだんと違って、触り心地に「違和感」がありますから、「あれ？」と気がつきやすくなります。

やってみて
どうだった！？

> 聞かれていないことを
> 答えてしまう。
> →設問の聞かれていること
> に線を引く。

> ・記述 問題で
> 文字を書き忘れたり
> 書き損じてしまう。
> →一文を書いたときごとに
> 書き忘れ等のないか
> 確言忍する。

自分の間違っているところがはっきり分かり間違いに自覚が持てます。
そうなることで間違いをどうすれば改善できるかが分かり前に
進めます。また、テスト前にどこを気を付けるか頭に刻むことができます。

忘れものを減らす
→ ドアノブには貼り付けることで違和感を感じ忘れものに気付く方法は
考えたこともない画期的な方法でした!!
生活に生かして忘れ物をゼロにしていきたいです。

清水先生の
コメント

この生徒は、起きる時間を間違えてしまうことがある、
と言っていました。
話し合った結果、「目覚ましに『明日は7:00起床』のように
貼るといい！」ということになりました(笑)。

保護者の方へ

ー∨ー

　この章では「ケアレスミスの直し方」を紹介してきました。繰り返しになりますが、昔の僕も、人のことは何も言えない状態でした。何度も失敗し、母や先生に注意されながら「よくなったと思ったらミスし、よくなったと思ったらミスし……」の繰り返し。「完治」とは言えないまでも、ずいぶんとミスが減ったのは高校時代になってからでした。

　みなさまのご家庭でも、できる限りの策を尽くしながらも、成長を温かく見守ってあげてください。

　ちなみに、先ほどご紹介したケアレスミスの対策方法、「下線」「指さし確認」「深呼吸で心をリセット」ですが、これはかつてNHK Eテレ「テストの花道ニューベンゼミ」という番組で解説して、反響が大きかったやり方です。「古典的なやり方だ」と言われればそれまでですが、ふだん生徒たちに教えているなかで、効果を実感しています。

　特に「下線」と「指さし確認」は毎日の練習でできます。問題を解きはじめるときには、「下線」から始めて、解き終わったら「指さし確認」で見直すくせをつけさせてあげてほしいと思います。

ま と め

　僕は、このノートを、試験数日前にあらためてつくるようにしていました。

　試験勉強をしていると、「あぁ、これはミスしそうだな」と心配になる問題がどんどん増えていきます。それを「ミスらん化」していくことで、確認しつつ心を落ち着けていました。

　そして、試験当日、テストが始まる直前（1分前くらい）は余計なものを見ずに、「ミスらんノート」を見て最終確認をしていました。

　さらに「どうしても心配!」というものは、テストが始まってすぐに、問題用紙に「見直すポイント」を書き込んでいました。たとえば、英語では「文頭を大文字にする」「ピリオドや『?』を忘れずに!」のように。

　すぐに解きはじめず、問題用紙にリストを書くことによって、ミスの意識づけが強化されていたように思います。

　合否を分けるのは、ほんの数点です。「たかが、ケアレスミス。されど、ケアレスミス」と肝に銘じて、早くから対処してもらえたらうれしいです。

自宅が教室に？
あのドラマでも使われた
「超巨大ふせん」って知っていました？

　この本は、ふせんを使った勉強法をひたすらご紹介するという珍しい本ですが、ふせんはふせんでも「超巨大ふせん」というものも忘れずにお伝えしたいと思います。

　「いやいや、超巨大ってどれくらい大きいの？」

　はい、ごもっともなご質問です。サイズは、なんと縦76.2cm、横63.5cm。普通は「75mm×25mm（もしくは75mm）」です。もはや単位が変わっていますね。面積でいえば、約100〜300倍です。

　その名は「イーゼルパッド」。ご存じでしたか？

　一般的には、ビジネスシーンで使われていますが、意外なところでも使われています。たとえば、TBSテレビ「日曜劇場『グランメゾン東京』」。木村拓哉さんが主演で話題になりましたね。レシピ開発シーンで、チームでの情報共有で使われていました。「イーゼルパッド」愛用者の僕は、見つけてにやにやしてしまいました。

　この「超巨大ふせん」ですが、僕は自宅だけでなく、実は毎週のように授業で

使っています。

　その大きさを見ただけで、生徒たちは大喜び。出すとき、はがすとき、つねにハイテンションです。こういう道具ってすぐに飽きるのですが、インパクトが大きすぎるからか、テンションはキープされています。

　どのように使うのかというと、大きく分けて2つあります。

①　アイデアをたくさん出すとき

　僕の授業では「探究」というワークをやることが多いのですが、そこでこれを出して、みんなでアイデアを書き込んでいきます。

　机に置いて書くときも、のり部分が固定してくれて動かないので、作業がしやすい。みんなで俯瞰したいときは、壁や窓に貼って、客観的に眺めることもできます。作業はその授業時間内では終わらないので、はがして移して、どこかに貼っておきます（僕は薄くて大きな段ボールに貼っています）。粘着力が強いので、翌週もばっちり貼ることができてしまいます。

　この使い方であれば、みなさんは「自由研究」や「レポート執筆」、高校生であればAO入試の「志望理由書」など、さまざまなシーンで使えます。アイデアを拡散していくときは、書くスペースが広いほうが便利ですしね。

　ふだんは、ノートという狭いスペース（いや、これが普通のスペースなのですが……）で書いている生徒たちも、「イーゼルパッド」という広いスペースを急に与えられると、アイデアがわいて出てくるようです。

②　ホワイトボード代わりに使いたいとき

　もう1つの使い方としては、ホワイトボードの代わりとして使うこと。僕は子どもの頃から「家にホワイトボードがあったらいいな」と憧れがあり、

母親にお願いしたことがありました。でも、「カスで床が汚れるから」「場所を取るから」という2つの理由で却下。

でも、この「イーゼルパッド」なら、どちらもクリアです。僕は自宅で「時間管理のマトリクス」（→P.68）などを使ってタスクを整理したいときに、まずは下地として壁に貼っています。

マニアックな製品に感じるかもしれませんが、一度試してみる価値はあると思います。安くはありませんが、何かのごほうびに、ぜひ！

第 5 章

「時間の使い方」が得意になる！

- ●やることがスッキリ！　「時間管理のマトリクス」
- ●反省上手になる！　「ふせんでセルフコーチング」
- ●はがして快感！　「ふせんTO DOリスト」

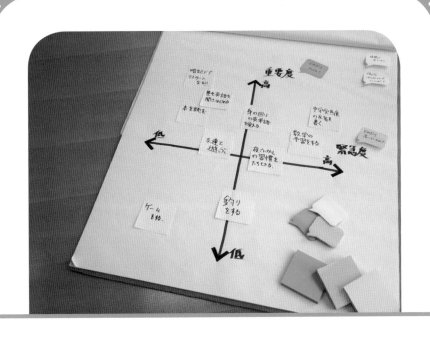

やることがスッキリ！
「時間管理のマトリクス」

成績を上げたいけれど、何から手をつけたらいいかわからない。もしくは、テストが近くて時間が足りない。そんなときは、ぜひこのマトリクスを使ってください。

やるべきことを書き出し、優先順位をつけていくのです。ポイントは、「重要性（どれだけ大切か）」と「緊急性（どれだけ急がなければいけないか）」という2つの軸で考えること。

僕も授業でよくやりますが、これをやると生徒に納得感が増して、「やりきる力」を持ってくれるように感じます。

使い方

用意する
もの
**75mm×75mmのふせん、
成績表やテスト範囲表など、筆記用具**

① やることをふせんに書き出す

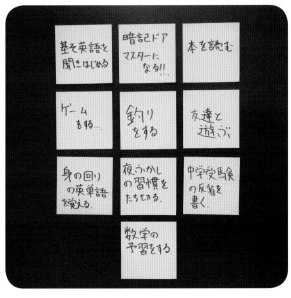

いまやっていることに加えて、これからやりたいことを書き出していきます。いまやっていることとは、「ごはんとお風呂」以外で、ふだん時間を使っていることです。ゲームも、外遊びも、学校の宿題も、計算ドリルも、ピアノの練習も、すべて含みます。

そして、これからやりたいことを書き出すときは、「できるかどうか」は横に置いて、とにかくたくさん書いてください。1つのふせんに対して、1つのことを書くようにしましょう。なぜなら、2つ以上書いてしまうと、あとで並べかえにくくなってしまうからです。

② 重要性を縦軸に、緊急性を横軸にマトリクスを書く

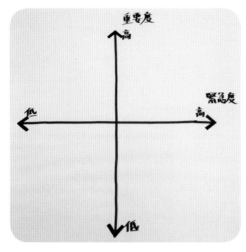

できる限り、大きな紙に書くようにしてください。僕が授業でこのワークをするときは、コラム2で紹介した巨大ふせん（縦76.2cm、横63.5cm）を使っています。大きければ大きいほど、後で貼りやすくなるからです。

縦軸と横軸は、ふせんを貼ったあとも目立ち続けるよう、太い油性マジックではっきりと書きます。

右にいけばいくほど、急ぐこと。左にいけばいくほど、ゆっくりでいいこと。そして上にいけばいくほど重要で、下にいけばいくほど重要ではないことになります。

よって、右上が「重要かつ緊急」、右下は「重要ではないが緊急」、左上は「重要だが緊急ではない」、左下は「重要でも緊急でもない」内容が並ぶことになります。

③ ふせんを4か所に配置する

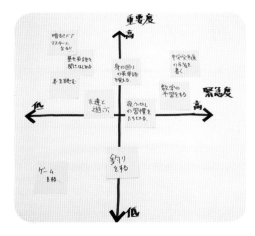

最初に書き出したふせんを、マトリクスの当てはまる場所に貼り、親子で分類していきます。

貼っていると、新しく書きたくなる子も多くいます。その場合は、どんどん増やしていってかまいません。

④ はがして、優先順位の高い順に並べる

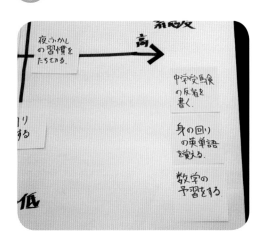

上から順に並べていきます。並べ方は、次のページの3つから選んでください。

1.「重要かつ緊急」→「重要ではないが緊急」→「重要だが緊急で
　はない」→「重要でも緊急でもない」

　もっとも手がたい進め方です。緊急度が高いものから順に処理をしてい
きます。時間のプレッシャーに弱い人には、おすすめです。

2.「重要かつ緊急」→「重要だが緊急ではない」→「重要ではない
　が緊急」→「重要でも緊急でもない」

　こちらは、もっともオーソドックスな進め方です。重要なことからまとめて
終わらせてしまいます。

3.「重要だが緊急ではない」→「重要かつ緊急」→「重要ではない
　が緊急」→「重要でも緊急でもない」

　こちらは、時間のプレッシャーに強いタイプか、「石橋をたたいて渡る」
ような几帳面なタイプに適しています。緊急の度合いにもよりますが、僕は
これがもっとも成果が出やすいと考えています。

　というのも、「重要だが緊急ではない」ことをどれだけやれるかで、周り
との差ができるからです。それを前倒しで終わらせておくくせをつけておけ
ば、突然、「重要かつ緊急」が増えたときも対応できます。

　とはいえ、早めに計画を立てはじめなければいけません。テストまでに時
間があるうちに、このマトリクスをつくるようにしてください。

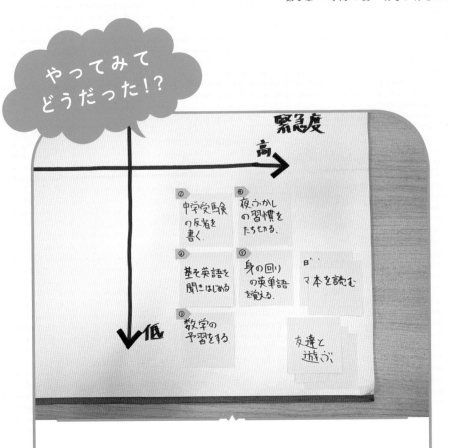

やってみて
どうだった!?

学校では習うことのない優先順位の付け方は時間が少ないとき客観的な視点から優先順位付けができムダのない時間の割りふりが可能になるので有意義な時間が過ごせると思いました。

清水先生の
コメント

全部の勉強法のうち、この生徒はこれをやっている
ときが一番楽しそうでした。自分で書き出したことで
「ゲームをする」の優先順位をもっとも低くしていました。
客観視できるのは素晴らしいことです(笑)。

保護者の方へ

⌄

　優先順位は、お子さんだけだと判断しにくいことが多いです。しかし、悩むのを見かねて大人がパッパッと仕分けをしてしまうと、いつまでも自分で優先順位をつけることができなくなってしまいます。

　最初は大人がリードしてもかまいませんが、判断の理由を伝えながら、少しずつお子さん側に判断を委ねるようにしてください。

ま　と　め

　やるべきことを書いて貼り、終わったらはがす。とてもシンプルな方法ですが、子どもの頃から習慣にしてほしいやり方です。

　当たり前のことですが、これをやるためには、自分のやるべきことを考えなくては始まりません。自分で考えて、自分で選び、行動する。そして終わったら、気持ちよくはがす。こんな一連の流れは、まさに「主体的」といえるでしょう。

　大人になっても、生きてくるはず。僕は毎日やっています。ふだんはパソコンを使って仕事をしていますので、デスクトップに1つずつ貼っています。はがすときの快感といったら、やみつきになります。

　ふせんの色を選ぶのも楽しいので、ぜひやってみてくださいね。

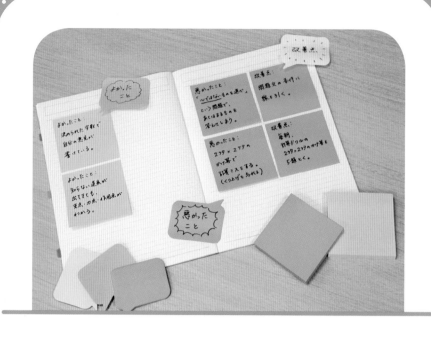

「ふせんでセルフコーチング」

テストが返却されたときに、僕が生徒にやることがこちら。「よかった
こと」と「悪かったこと」を書き出し、それをどうすれば継続／改善
できるかを考えてもらいます。

「もっとがんばればよかった」というざっくりとした反省では意味がな
いので、実際の答案を目の前に置き、教科ごとに書いていくことが
大切です。書いたふせんは捨てずに、机の前の壁に貼りましょう。
次回のテストまでに繰り返し読むようにしてください。

使い方

 用意するもの

75mm×75mmのふせん、
成績表、各教科の答案、各教科の教材、
テスト範囲表、筆記用具

① **よかったこと、悪かったことを**
ふせんに書き出す

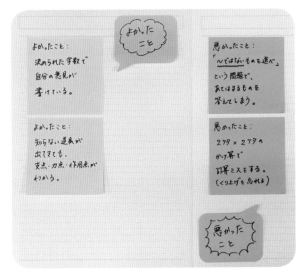

返却されたテストの答案を見ながら、教科ごとによかったこと、悪かったことを書き出します。「まずは国語、次に算数／数学、……」のように1教科ごとに進めてください。

また、ふだん使っている教材と、テストの問題・答案を照らし合わせながら、書き出してください。ここで教材と問題・答案がないと、具体的な反省ができませんので、必ず用意してください。

そして、ふせん1枚につき、1つのことを書くようにしましょう。

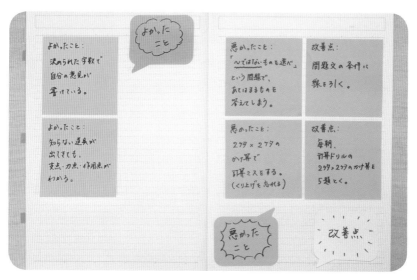

　次に、点数を取るためには「どの教材」を、「いつ」「どのように」進めていればよかったのかを確認しましょう。

　気をつけてほしいのは、**必ず教材とひもづけて対策を考えること**。国語で「漢字をちゃんと覚える」では、対策としては不十分です。どの教材（たとえば教科書の下の欄に載っている新出漢字）をいつ（授業当日に）、どのように（3回音読して、3回書いて、手でかくして書けるかチェック）やるのかを決めましょう。

　勉強法は人それぞれですので、最初から完ぺきなやり方をあみだす必要はありません。

　大切なのは、記録を残し、毎回修正をしていくことです。

やってみて
どうだった!?

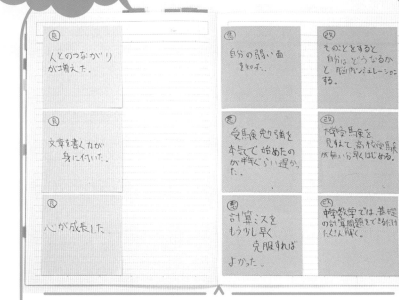

良 人とのつながり
が増えた。

良 文章を書く力が
身に付いた。

良 心が成長した。

悪 自分の弱い面
を知れた。

悪 受験勉強を
本気で始めたの
が半年ぐらい遅か
った。

悪 計算ミスを
もう少し早く
克服すれば
よかった。

改 そのことをすると
自分はどうなるか
と脳内シミュレーション
する。

改 大学受験を
見すえて、高校受験
が無い分早くはじめる。

改 中学数学では、基礎
の計算問題をできるだけ
たくさん開く。

自分の良かった点と、悪かった点、改善点を書くだけのシンプルな作業ですが、
自分の反省すべき点や改善点があきらかなので、次に生かしやすいです。
また、1つのポストイットに1つのことを書くので反省点が見やすいです。

清水先生の
コメント

中学受験を終えたばっかりだったので、
生々しく反省を書いてくれました。
良かったことも書き出すことで、後ろ向きにならずに
すみます。ふせんの色も明るくていいですよね。

保護者の方へ

お子さんだけでは反省が具体的にできないこともあります。

その理由の1つは、成功体験がなく、やり方がわからないからです。そこで、その教科が得意な友達や、学校や塾の先生に聞いてきてもらうようにしてください。

勉強法の本を読んでみるのも、1つの指針になるはずです。僕もたくさん書いていますので、よろしければ探してみてください。

ま と め

　生徒たちには「反省が好き」という子はいません。だからこそ、「反省が得意」になっていたら、どんどん成績が伸びていきます。

　僕が断言したいことがあります。勉強で大事なのは、計画力よりも「修正力」です。受験勉強は、カリキュラム（年間計画）もあれば、それをこなすための計画もあります。最初にどんなに良いものをつくっても、成績の伸びや、得意不得意の偏りによって修正が必要になります。

　右往左往するというわけではなく、今やっている勉強のやり方が正しいのかを反省し続けることで、成績は伸び続けることができるのです。

　良かったことを書き出し、それがどうすれば続くのかを考え（必要あれば書き）、悪かったことを書き出し、それがどうすれば改善できるのかを考える（こちらは必ず書いてください）習慣をつけるようにしましょう。テストごとに、ご家族でやるのがおすすめです。

はがして快感！
「ふせんTO DOリスト」

やるべきことをふせんに書き出して、机やその前の壁に貼っていきます。

時間の長さによってふせんの幅を変えて、かかる時間のイメージを明確にします。

まっさらなふせんに書くことで、気持ちよく勉強をスタートできますし、はがしていく快感で続けやすくなります。

「落ち着いて進めるブルー系」「元気に進めるオレンジ系」のように、ふせんを色分けするのもおすすめですよ。

使 い 方

用意する
もの　**75mm×75mmのふせん、75mm×25mmのふせん、筆記用具**

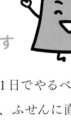

① **やるべきことをふせんに書き出す**

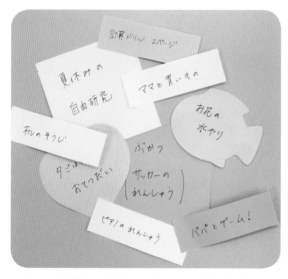

1日でやるべきことを、ふせんに直接書き込んでいきます。1枚あたり1つのタスクを書いていきます。長い時間かかりそうなものは大きいふせんに、短い時間で終わりそうなものは細いふせんに書きましょう。

色は、まずは2種類で分けるのがおすすめ。ブルー系のふせんに書けば「これは落ち着いて進めていこう」という気持ちになりやすいですし、オレンジ系のふせんに書けば「ここは元気に乗り越えよう」とエネルギーがわいてきますよ。

　終わったら、どんどんはがしていきましょう。ぺりっとはがすだけで気持ちがよいので、次へのモチベーションにもなります。

　次の日もやることが同じ場合は、1枚のボードの真ん中に線を引き、左半分に「やること」を並べ、終わったら右半分に「終わったこと」として移していくのもいいでしょう。

　のりづけが弱くなってきたら、新しいふせんに書くようにしてください。

やってみて
どうだった！？

1/30

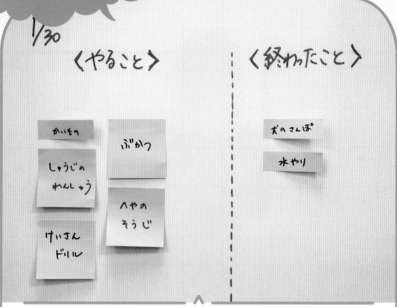

〈やること〉　　　　　〈終わったこと〉

かいもの

しゅうじの
れんしゅう

けいさん
ドリル

ぶかつ

へやの
そうじ

犬のさんぽ

水やり

最初は、「やること」側にたくさんふせんがあって不安でしたが、はりかえるのを楽しんでいるうちに、「終わったこと」のふせんがどんどん増えていくのでやる気がでます。いままでより多くのことにチャレンジできるようになりました。

清水先生の
コメント

ホワイトボードがある家では、このように貼っていくのがいいでしょう。ない場合は、机でも壁でもかまいません。上の写真の「やること」「終わったこと」もふせんに書いて貼ればいいのです。どこでも大丈夫ですね。

保護者の方へ

―――――――∨―――――――

　ふせんの色分けについて補足します。

　2種類の分け方に慣れてきたら、さらに色を探してみると面白いです。
「色彩心理学」という学問もあるように、人は色から多くの影響を受けています。創造力と効率を高める色（ビビットな原色系の色の組み合わせ）、心を落ち着かせる色（ブルーとパープルをベースにした色の組み合わせ）、元気になれる色（オレンジとグリーンをベースにした色の組み合わせ）など、多くの組み合わせがあります。興味がある方は調べてみてください。

ま と め

　4つに分けて考えるやり方は、ビジネスの世界ではよく使われています。それくらい王道な時間管理なのでしょう。

　自分のやるべきことが1枚でパッとわかるようになりますので、頭が整理されますよね。焦った気持ちも少し落ち着くはずです。

　僕の好きな言葉に「ゆっくり急げ」というものがあります。心は落ち着きながら、焦らず急ぐ。それが、物事をうまく進めるコツだと思っています。

　4つに分けた後の優先順位のつけ方は、人によって変わります。先述のとおり、自分の性格に合わせてください。繰り返すことによって、みなさんに合った優先順位のつけ方が見つかるはずです。

　1つひとつの作業を楽しみながら、続けてみてください。

第 6 章

「英語力」を つける！

自宅が英語ランドに!
「おうち英語図鑑」

中学から英語を勉強するなかで最も大きなハードルの一つが、英単語を覚えることです。最初は英語が好きな子も、なかなか単語が覚えられず、それが原因で嫌いになってしまうことも……。

単語を覚えるコツは、身近なものから楽しく覚えていくことです。家の中を探検して、英語で言えるもの、言えないものを見つけてみましょう! 知らなかったものがあっても、「調べる→貼る→はがす」という3つのステップで、楽しく覚えることができますよ。

使い方

用意する
もの

**75mm×25mmのふせん、筆記用具、
ノート、辞書、（あれば）英語の教科書、
電子辞書またはオンライン辞書**

① 部屋や家の中を見回して、
英語で言えるものを探す

　身のまわりに、自分の知っている英単語で言えるものはありますか？　自分の部屋を見回したり、家の中を歩いてみたりして、「あ、この英単語知っている！」と思えるものを探すことから始めてみましょう。

　たとえば、bed（ベッド）、table（テーブル）、sofa（ソファー）のような、カタカナ語（すでに日本語になっている英語）を探してみると、「あ、身近なものは覚えやすいかも！」と思えてきます。**ある程度知っているものから始めることが、長く続けるコツです。**

② 英語で言えないものを見つける

　「言えるもの」を見つけたら、次は「言えないもの」を探します。家の中を探検して、言えないものを発見しにいきましょう！　英語で言えないものを見つけたら、ノートにその日本語を書き出していきます。

　リビングから始めたとしたら、「エアコン」「棚」「ゴミ箱」といった具合です。

　ここで、（あれば）英語の教科書を使ってみるのもおすすめ。英語の教科書に載っている英単語のうち、家にあるものを探していくのです。教

科書によっては、「身近な英単語」として、冒頭にまとめてくれているものもあります。

③ 英語で言えなかったものは、辞書で調べてノートに書く

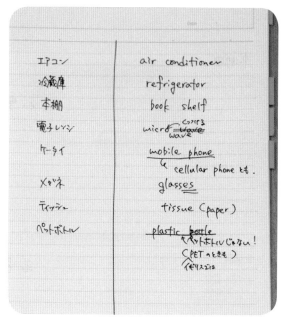

英語で言えなかったものは、辞書を使って単語を調べていきましょう。調べるときは、必ず発音もチェックしてください。

電子辞書の中には発音機能がついているものもありますが、こういうとき、おすすめなのは**オンライン辞書**。ワンクリックで発音をしてくれます。

「発音を聞く→真似をする」を3回繰り返すと、その場で頭に入るのでおすすめです。

調べた単語は、ノートに書いていきましょう。**ノートのつくり方は、シンプルに。**ページの真ん中に縦の線を引いて、左側に日本語を、右側に英語を書いていきます。

ノートづくりをさらに楽しみたい人は、見開きで使ってみましょう。左側のページは、いま説明したように使います。

違うのは、右側のページ。単語を調べて気づいたこと、わかったことを

書きこんでみてください。そうすれば、自分だけのノートができあがります！

④ 覚えたいものに、英単語を書いたふせんを貼る

jelly fish

先ほどノートに書いたものの中から、覚えたい英単語を選び、ふせんに書いていきましょう。

かんたんな単語や、覚えやすい単語から覚えていくのがコツです。辞書によっては、英単語のレベルが書いてあるので、参考にしてみてもよいでしょう。

このとき、全面強粘着のふせんを使うと、はがれにくいのでおすすめです。シンプルなふせん（75mm×25mm）に書いてもいいですが、「ふきだし」型のものや、リンゴ型のものなど、かわいいものもあります。楽しさも重視して、文房具屋さんやAmazonで探してみるのもいいでしょう。

ふせんに単語を書いたら、実際にものに貼っていきましょう。椅子には「chair」、ドアには「door」といった具合にです。

⑤ 覚えたらはがす

　ここは「暗記ドア」と同じ。ずっと貼りっぱなしにすると「覚えよう!」という気持ちがうすれてしまいます。3回連続で答えられるようになったら、はがしてしまいましょう。

　ただ、同じ日に3回言えても、「覚えたつもり」になってしまうのでしたよね。人間は、寝ているときに記憶が整理されるので、**起きてからもう一度確認をするようにしましょう。**日をまたいで合計3回正解できたらはがします。

　はがしたものは、ノートに貼り直してもかまいませんが、すでにノートにも書いてあるものですから、捨ててしまって大丈夫です。

⑥ 時間が経ったら、総復習!

　せっかくノートに書いたので、時間を置いてから復習をしてみましょう。

　おすすめのタイミングは、覚え終わってから1週間後。「ちょっと忘れたかも」くらいのタイミングを選びましょう。もし、そこで間違えてしまったら、もう一度ふせんに書いて「おうち英語図鑑」をやってみましょう。

　書き直すことで、覚えやすくなりますよ。辞書で発音を確認し直すのもおすすめです。

さらに一歩！

より効果的にやりたい人は、
続けて、以下の方法も試してみてください。

1 リビングや自分の部屋だけでなく、いろんな場所でチャレンジしよう

「『おうち英語図鑑』といっても、そんなにたくさん英単語を覚えられないんじゃないの？」と疑う人もいるかもしれません。

でも、そんなことはありません。各部屋には覚えてほしい英単語がたくさんあります。

巻末に、覚えてもらいたい英単語のリストを用意したので、使ってみてください。リストにあるとおり、家のものの名前を覚えたら「色」や「形容詞」などにも挑戦してください。「1週間で家のものを覚えきる！」という目標を立てても面白いかもしれませんね！

2 会話やフレーズも覚えてみる

単語が覚えられたら、次は文にも挑戦してみましょう。家での生活の中で覚えられる英文はたくさんあります。

これも巻末のリストでまとめていますので、ぜひ使ってみてください。

3 番外編「おうち漢字図鑑」

英単語や英文だけでなく、漢字を覚えることもできます。こちらも巻末のリストを使ってみてくださいね！　意外と書けない漢字も多いはずです。

やってみて
どうだった！？

家が図鑑のように単語だらけになるのであきないでずっとやることができます。
また、ふせんからふせんに移動するときにちょっとした体の運動にもなり
楽しかったです。

清水先生の
コメント

覚えるべき英単語を探すのは、宝探しのようで
盛り上がりました。一気にスペルを覚えようとすると、
時間がかかってつまらなくなるので、
最初は読み方を覚えるようにしてくださいね。

保護者の方へ

∨

　とある高校で、大学受験直前の高校3年生にアンケートを取ったそうです。
「あなたが高校の勉強で、後悔していることは何ですか」と。

　その結果、見事1位に輝いた（？）のが「**英単語をちゃんと覚えておけばよかった**」だそうです。

　英語は大学入試でもっとも配点が高い教科というだけでなく、社会に出てからも必要になります。そして、その基本は語彙。単語であり、熟語であり、フレーズです。これらは覚えるときに単調になりがちなので、「面倒くさい」といやがる子が多いんですよね。「おうち英語図鑑」のように、動きをつけたり覚えやすくしたりすることで、小学生のうちから「楽しい！」「得意！」と思ってもらえたらと思います。

　ちなみに、後悔の2位は「勉強の習慣をつけておけばよかった」です。受験直前に「終わらない！　もっとやらなきゃ！」とあせっても、勉強する習慣ができていないと、なかなか続かないもの。早くから机の前に長く座るくせをつけたいものですね。

　3位は「全教科をきちんと勉強しておけばよかった」。「受験はまだ先」と思って、苦手科目や理科・社会の授業をのんびり聞いていると、直前に「間に合わない！」と後悔することになります。また、「これは嫌いだから」と放置していると、後で苦労することに。できる限り、勉強は楽しくしていきましょう！

ま　と　め

　何かを覚えるときは、「すでに知っている何か」と結びつけると覚えやすくなります。英単語も漢字も、みなさんがふだん生活して目にしているものと結びつけて覚えるようにしましょう。

　歩いたり貼ったりして、動きながら覚えると五感もフル活用できるので、さらにおすすめです。巻末のリストを使って、できる限りたくさん覚えてみてくださいね。

ごほうびには「文房具」が最適?

　先日、「日経DUAL」の取材がありました。子どものやる気を引き出すときの話。ついつい「ちゃんと宿題をやったらマンガを読んでいいよ」とか、「次のテストで偏差値が10アップしたら、ごほうびにゲームを買ってあげるから」と言いがちですが、マンガやゲームといった娯楽で釣ってしまうようなごほうびはおすすめしませんとお話ししたら、かなり反響がありました。それくらい多くのご家庭で、マンガやゲームをごほうびにしているのでしょう。

　それらがごほうびになると、もらった直後に「早くやりたい」と勉強とは逆方向に行ってしまいます。もちろん、それらは面白いですし、マンガやゲームを否定しているわけではありません（実際に僕も『ゲーミフィケーション勉強法』という、ゲームを肯定する本を書いています）。ただ、勉強に集中してほしい時期ってありますよね。

　では、何をごほうびにするのがいいか?　**おすすめは「文房具」です。**文房具だと、「早く使いたい」の先には勉強がありますので、極端にずれることはありません。

　でも、「文房具ってごほうびだと思われないのでは?」と思う方もいるでしょう。そんなときには「オモシロ文房具」。前のコラムで紹介した「イーゼルパッド」もそうですが、昔にはなかったような文房具が出ています。

　女子だったらマスキングテープでもいいですし、男子ならスタンプ型の「のり」とか、「え、これは面白そう!」と思えるものがあるはず。ハイテク

なものが好きな人には、スマホで写真を
撮るだけで勝手に単語帳になる「スマ
単」や、専用ペンで線を引いて写真を
撮るだけで勝手に暗記ノートができる
「アンキスナップ」などもあります。とん
でもない時代ですね……（ちなみに、ふせ

んも負けてはいません。写真を撮るだけで自動で認識、分類・保管される「Post-it®
App」という便利なアプリがあります。ぜひ検索を！）。

　**文房具って、勉強をサポートするためにあるものですから、それが自
分好みになれば、勉強へのハードルが少し下がるものなのです。**ぜひ
文房具屋さんで「最新文房具」を見つけて、遊びゴコロで買ってはい
かがでしょうか。「急にゲームから文房具に変更！」と言っても「嫌だ！」
と言う人がほとんどでしょうから、まずは足を運んでみてください！

　ちなみに、**「いつまでごほうびをあげるのか問題」**もありますよね。
教育心理学の有名な用語で「アンダーマイニング効果」というものがあ
ります。簡単に言えば、「楽しんでやっている人にごほうびをあげてしま
うと、目的がごほうびに変わってしまい、本来のやる気がなくなってしま
う」おそれがある、ということ。

　その教科を好きになってきたなと思えたら、ごほうびをなくしてあげてく
ださい。逆にごほうびがあると、せっかく楽しくなってきたその勉強も、楽
しくなくなってしまうかもしれません。

　そう考えると、勉強を楽しく感じられるようになれば、ごほうびも必要な
くなるのです。手間もお金も浮きますので、その分は関心をさらに深める
本や経験に投資できそうですね。もちろん、必要な文房具は買ってあげ
ていただきたいですが！

第 7 章

「書く力」を
つける！

v

● 書くことで困らない！ 「ふせんで記述分解」

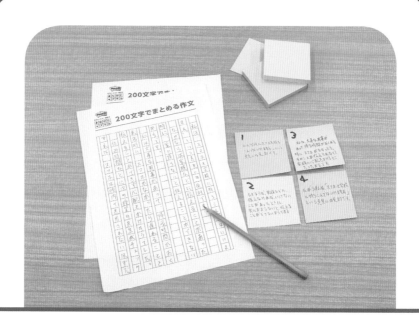

書くことで困らない！
「ふせんで記述分解」

記述問題や作文が出てきたとたんに、国語に苦手意識を持った、そんな経験はありませんか？　僕は塾で教えるなかで、同じように国語嫌いになった子をたくさん見てきました。

その原因は、「作文はセンスで決まる」という思い込みです。しかし、自分の考えをわかりやすく伝えるために、センスは必要ありません。

実は、ここでも役立つのが、ふせんです。文章の型を知り、その型に対応したふせんを使って文章を書いていくだけで、相手に伝わる作文を簡単に書くことができますよ！

　塾で教えていると、記述問題や作文を扱いはじめたとたんに、国語嫌いになってしまう子がたくさんいます。読書感想文も苦手、レポートも苦手。

　しかし、そうも言ってはいられません。**最近の教育は「書くこと」に力を入れています**ので、早めに得意にさせてあげることが大切です。さもないと、テストで点数が取れないだけでなく、言葉そのものや、文そのものが嫌いになってしまうかもしれないからです。

　僕は小学1年生から高校生までに文章の書き方を教えていますが、苦手な子たちの多くは1つの「思い込み」をしています。それは、「作文はセンスで決まる」ということです。

　でも、大丈夫！　センスで悩むのは上級者。そんなことを気にしていたら、一歩目を踏み出せずに終わってしまいます。センスは気にせず、まずは「自分の考えを、相手がわかるように伝える」という1点だけを意識してください。

　相手がわかるように伝えるためには、どうしたらよいのでしょうか？　そこで登場する魔法の道具が、「型とふせん」なのです。

　型どおりに書くというのは、「**穴埋め形式**」にする、ということ。型がなく、「自由に書きなさい」と言われると手が止まってしまう子が多いものです。型が決まっていたほうがグンと書きやすくなりますよね。

　では、どのような型がいいのでしょうか？

　たとえば、このような問題。小学6年生〜中学2年生レベルです。みなさんは、どう書けばよいと思いますか？　少し、考えてみてください。

問題：以下の田中さんの意見に対し、自分の考えを自由に書きなさい（200字程度）。

「運動会はいくつかの学校と一緒に、合同でやるべきだ」

　先ほども書きましたが、「自由に書いてください」と言われると、書き慣れていない子は「どうしたらいいの？」と悩み、手が止まってしまいます。

　そこで、僕が授業でおすすめしている型をご紹介しましょう。

　それは、以下の4つの流れで書く方法です。

① 意見
「私は●●さんの〇〇という意見に賛成です／反対です」「私は●●だと思います」
② 理由
「なぜならば、＿＿＿＿＿＿だからです」
③ 経験
「私はこんな経験をしたことがあります」
④ 結論
「だから、私は●●さんの意見に賛成です／反対です」「だから、私は●●だと思います」

　先ほどの「運動会はいくつかの学校と一緒に、合同でやるべきだ」という意見に対して、みなさんはどう感じましたか？　「面白そう！　そう思う！」「いやいや、恥ずかしい！　やりたくない！」など、さまざまな意見が出てきます。

　僕は出張授業を含めて、全国で500人くらいにこの問題を解いてもらいましたが、7割くらいが「賛成！」で、3割くらいが「反対！」でした（作文に慣れていない子は「どちらでもない」はいったん避け、どちらかに分かれたほうが書きやすくなります）。

　さらに、「なんで賛成／反対？」と聞くと、いろんな意見が出てきます。

　賛成派の子たちは「だって楽しそうだもん。そっちのほうが盛り上がるでしょ」と言い、反対派の子たちは「知らない子とやるのは恥ずかしい」という意見もあれば、「練習日が合わせられない」という大人な（?）意見もあります。

　次に、近い経験をしたことがあるかどうかを聞いてみます。

　賛成派の子たちには「別の学校の生徒と一緒に何かをして、盛り上がったことはある？」と。すると、「地元のサッカーチームに入っているけれど、いろんな友達ができてうれしい」「夏休みにお母さんの実家に帰るけど、そこで知らない子と友達になれて楽しかった」など、いろんなエピソードが出てきます。

　反対派の子たちには「知らない子と一緒になって恥ずかしい思いをしたことはある？」と聞きます。すると、「同じクラスにも話せない子がいるのに、学校が変わったらもっと話せない」「初めて会った友達と仲良くなるのには1か月はかかった」などが出てきます。

実は、いま聞いた2つの質問だけで、作文が書き上がってしまいます。

....

　私は田中さんの「運動会はいくつかの学校と一緒に、合同でやるべきだ」という意見に賛成です。なぜならば、いろんな学校と一緒にやったほうが、盛り上がると思うからです。私は地元のサッカーチームに入っています。そこではたくさんの学校の生徒が集まります。いろいろな学校の友達ができて、楽しくなります。だから私は、「運動会はいくつかの学校と一緒に、合同でやるべきだ」という意見に賛成です。

....

　これで187字。200字程度という条件をきちんと守っています。
　もちろん、もっと書きたい場合もあると思います。その場合は、**まずは「経験」を充実させるようにしましょう。**解答例のサッカーの話であれば、「たくさんの学校って、何校くらい?」「一番遠いところはどこ?」「別の学校で、一番仲良しの友達は?」「どうやって仲良くなったの?」と考えていきます。
　親子でやる場合は、大人側から質問をしてあげて、子どもだけでやる場合は、（少し難しいかもしれませんが）自分で自分に質問をしていきましょう。

　ここまでついてくることができた人には、さらによい作文を書くためのコツを2つ、お教えしましょう。

　1つ目は、結論の部分。最後の「締め」ですね。冒頭の「意見」と同じことを繰り返してもいいのですが、ちょっとしつこいですよね。下手す

れば「あ、字数を稼いだな」と思われてしまうかもしれません。**別の言葉に変えることができたら、さらによくなります。**

先ほどの例は、「だから私は、『運動会はいくつかの学校と一緒に、合同でやるべきだ』という意見に賛成です」でしたが、たとえば「もし、合同でやる運動会があれば、これまで以上に楽しみになると思います。ぜひやってみたいです」のように「意志」を書いてもいいですね。

また、「友達をつくる練習にもなると思うので、やってみてはどうでしょうか」と「投げかけ」で終わらせてもいいでしょう。

2つ目は、理由の部分。自分の意見だけを書いてもいいですが、**あえて「反対意見も書く」ようにすれば、さらに説得力が増します。**使うフレーズは、「たしかに●●ですが」です。

先ほどの例で考えてみましょう。先ほどの例では「恥ずかしい」という反対意見が出ていました。そこをあえて引用して、「たしかに恥ずかしいと思う人もいるでしょうが」と書いてみるのです。

では、どのように続ければよいでしょうか? たとえば、「合同で練習するうちに、少しずつ仲良くなれるはずです」「友達のつくり方を学ぶことができるはずです」というのがありますね。

このように、逆の立場の視点も持っていることを伝えると、「両方の立場に立てる人なんだな」「視野が広いな」という印象を与えることができます。反対意見に寄り添って「一歩、譲る」ので、このテクニックは「譲歩」といいます。

先ほどの解答例に、この2つの技を加えると、以下のような答案になります。

私は田中さんの「運動会はいくつかの学校と一緒に、合同でやるべきだ」という意見に賛成です。なぜならば、いろんな学校と一緒にやったほうが、盛り上がると思うからです。私は地元のサッカーチームに入っています。そこではたくさんの学校の生徒が集まります。いろいろな学校の友達ができて、楽しくなります。たしかに恥ずかしいと思う人もいるでしょうが、友達のつくり方を学ぶことができるはずです。もし、合同でやる運動会があれば、これまで以上に楽しみになると思います。ぜひやってみたいです。

　どうでしょうか。ずいぶんと説得力が増した気がしますよね。
　これで233字。200字に近づけたい場合は、「と思う」という表現を削るといいでしょう。それだけで220字程度になります。

　そして、このような作文をするときに強い味方になるのが、ふせんです！

使い方

> 用意する
> もの

**75mm×75mmのふせん（できれば3種類の色）、
筆記用具**

① ふせんを4枚用意する

　まずは、ふせんを4枚用意します。3種類の色があれば、なおよいです。

　黄色と青色とピンクがあったとしましょう。まずは、ピンクのふせんを2枚、青色を1枚、黄色を1枚はがして、机に置いてください。この4枚は、もちろん「型」に合わせた4枚です。

　先ほどの「型」で確認してもらいたいのですが、「意見」と「結論」は同じことを書くことから始めてほしいので、同じ色にして、残り2つを別々の色にしてください。

② 各ふせんの左上に、書くことを記入する

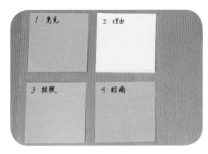

　各ふせんの左上に小さな字で、型を書いていきます。最初の1枚に「①意見」、次に「②理由」、そして「③経験」、「④結論」の順ですね。

　番号もふると、「今いくつめを書いているのか」がわかって書きやすくなりますし、テストで型を使って書く場合に、番号から書くことを思い出しやすくなります。

③ 「意見」→「理由」→「経験」→「結論」の 順で、埋めていく

　1枚ずつ、型どおりに埋めていきましょう。

　ここでのポイントは、**文章ではなく箇条書きにすること**。これは、アイデアを出すためのメモ。下書きですらありません。文章にしてしまうと、アイデアが浮かびにくくなってしまいます。

　そして、アイデア1つにつき、ふせん1枚を使うようにして、2つ以上浮かぶ場合は、縦に並べていきましょう。たとえば「③経験」は、「こんなエピソードもあったな」と、ぜひ多くを思い出してください。

　先ほどのテクニック「譲歩」を使う場合も、「②理由」のところに反対意見として縦に並べてみてください。また、「④結論」で「①意見」とは別の文章を書く場合も、同じく並べましょう。

④ 4枚を選び、文章化する

縦に並べたものの中から、「どの4枚を使うか」を考え、選んでみましょう。ふせんは貼ったりはがしたりできるので、手を動かして組み合わせてみてください。

これは、最初から文章にしていたら、できない作業ですよね。でも、すごく大切。文章のつながりや構造を考えるトレーニングになります。

さらに一歩！

さらに学習を続けたい人は、
続けて、以下の問題にも挑戦してみてください。

 練習問題にチャレンジ！

では、ここで練習問題を解いてみましょう！　新聞記事から、ちょうどいい問題を用意しました。

ふだん、僕が授業で使っている教材は、新聞のオピニオン面。特に、

朝日新聞オピニオン面の「耕論」というコーナーです。「耕論」は1つのテーマについて3人の意見が載っているコーナー。話題は政治から文化まで。登場するのは大学教授からタレントまで。バランスが重視されていて、学習に適しています。

　今回も「耕論」を使わせてもらって、一緒に考えていきましょう。難しい人は、ご家族のみなさんと一緒に読んでくださいね。

　テーマは「芸能人、もの申せない?」。芸能人が社会問題を語ることについて、3人が持論を述べています。新聞のリード文を読んだあと、3人のうち、りゅうちぇるさんの意見をもとに、200字を書いてみましょう。

··

■リード文
　沖縄・辺野古の埋め立てに反対する署名を呼びかけたタレントのローラさんに、批判の声があがった。発信力がある芸能人は、政治や社会問題について発言してはいけないのか。

■りゅうちぇるさんの意見文
　見出し：若さ・立場で軽く見ないで　りゅうちぇるさん（タレント・歌手）

　芸能人も、自分なりの考えや関心があることは、発信すればいいと思います。僕は難しい言葉は知らないし、自分の経験から学んだことしか話せません。でも、性別にとらわれない自分らしい生き方や、出身地の沖縄のことなど、身近に感じられる問題は話すようにしています。

　たとえば昨年12月にニュース番組の同性婚の特集に出演して、「異

性愛と全く同じ愛なのに、性別を理由に結婚が認められないのは、不公平で悔しいです」などとお話ししました。僕自身は好きになるのは女の子ですが、かわいいものが好きでメイクもするので、よく「オカマ」と言われてきました。周りにも同性愛の当事者は多いです。同性婚についての現状や悔しさは知っていたから、オファーに応えて出演し、発言しました。

　自分らしく生きることの大切さを発信し続けるうちに、メイクやファッションなどハッピーな話題だけでなく、社会的問題についてもメディアで意見を求められる機会が増えました。それが普段から考えたり話したりして知っている話題なら、答えています。同じ話題を、もし政治家の人が話したら、「意味がわからない、難しい」と感じる若い人もいるでしょう。僕が話すことで、その問題がわかって、参加できる人が一人でもいるなら、いいと思います。

　でも、社会的問題について話すと、そういう話題を発言したこと自体がニュースになったり、「問題を本当に理解して発言しているのか」と言われたりすることがあります。発言した内容について考えて欲しいのに、おかしいなと思います。

　もちろん、「問題を本当に理解しているのか」と問いかける人がいるのは、いいんです。けれどもし、芸能人だから、若いからと、発言した人の立場によって内容まで軽く見ているとしたら、なぜそういう風に人を見るのかなと思います。

　また、たとえば同性婚について、「センシティブな問題だから話題にしにくい」という感覚自体、古いなとも感じます。話すと本当に場が盛り下がってしまうのでしょうか。僕はSNSでファンの子に自分の考えを正直に伝えてきました。誤解が生まれたらコメントに返信して説明するということをずっ

と積み重ねて、お互いに信頼できる関係を作ってきました。だから、何かを怖がって発信を避けたら、逆にファンは離れてしまうのではないかと思います。

　これからも自分の考えを発信することを優先したいです。せっかく芸能人という表現できる立場にいて、僕の言葉を聞いて、明日も生きていけるという人がいるかもしれないのですから。それが僕にとって芸能という仕事のやりがいだと思っています。

＊りゅうちぇる　1995年、沖縄県生まれ。原宿のショップ店員や読者モデルを経てタレントに。昨年歌手デビューした。

....

　どうでしたか？「若さ・立場で軽く見ないで」という見出しのとおり、年齢や立場ではなく、発言した内容について考えてほしい、という強いメッセージでした。
　それでは、「意見」→「理由」→「経験」→「結論」の順で、意見文を書いてみましょう。
　まず最初にしてほしいことは、ふせんへのメモ書きでした。4枚用意しましょう。各ふせんの左上に小さな字で、書くこと（型の名前）をメモしていくのでしたね。最初の1枚に「①意見」、次に「②理由」、そして「③経験」、「④結論」と書いていきましょう。

　文章は埋められるところからどんどん埋めてください。まっさきに書けそうなのは①の「意見」ですね。

「私はりゅうちぇるさんの○○という意見に賛成です／反対です」と書けばいいです。でも、「○○には何を埋めればいいの?」と悩む人もいるはず。

　初心者におすすめの書き方は、見出しをそのまま入れてしまうこと。オピニオン面（意見を扱った紙面）に載っている記事の見出しは、その人の意見のまとめになっていることが多いのです。この場合は「若さ・立場で軽く見ないで」ですね。ですから、以下のように書きはじめてみてはどうでしょうか。

　私はりゅうちぇるさんの「若さ・立場で軽く見ないで」という意見に賛成です／反対です。

　これを1枚目のふせんに書きましょう。

　次に、②の「理由」を書きます。これをすぐに書ける人は良いセンスの持ち主。でも、なかなかそんな人はいません。**書けない場合は「話している感覚」で考えてみてください。**「話している?　誰と?」と思いますよね。一人二役でいいのです。たとえば、このように。

「僕さ、りゅうちぇるさんの意見に賛成なんだよね」

「なんで?」

「だってさぁ、おかしいじゃない」

「なんで?」

「だってさぁ、年齢よりも中身が大事じゃない」

「なんで?」

「だってさぁ、大人だって間違うことだってあるもん」

　どうでしょうか。このように自分の中にもう1人用意し、「なんで?」と

質問させるのです。それに対して「だってさぁ」と説明していき、書けそうになったらストップします。

　今回で言えば、「大人だって間違うことがあるから」はよい理由になりそうですね。2枚目のふせんに書きましょう。

　次に③の「経験」です。これまで自分に起こったことや、聞いたことを書いていきましょう。もちろん、②の「理由」からずれてはいけませんので、たとえば先ほどの例でいえば、「大人が間違えた話」でなければいけません。

　もし、試験中だったら時間は限られています。ある程度、作り話にしても（筋が通っていれば）クリアすることはできます。でも、せっかくの機会ですので、実際の経験を探してみるようにしましょう。書けたら、④「結論」を書いて締めましょう。

　以下に、実際の生徒の答案を紹介します。僕が教えている小学6年生の女の子の答案です。

....

　私は、りゅうちぇるさんの「若さ、立場で軽く見ないで」という意見に賛成です。なぜならば、若いからって答えがちがっていると決めつけられたくないからです。私は、お母さんに意見を言ったら、私の方が長く生きているから、私が合っているから自分がまちがっていると決めつけられて、すごくいやなことがありました。だから、私は、りゅうちぇるさんの意見に賛成です。

（170字）

....

　このように書けたら、さらに良い作文を書くためのコツを2つ、使ってみ

てください。

　まずは、④の「結論」を別の言葉に言い換えること。そして2つ目は「譲歩」です。あえて「反対意見も書く」ことで、さらに説得力が増すのでしたね。使うフレーズは、「たしかに●●ですが」です。

　生徒に書き直してもらったところ、このようになりました。

　私は、りゅうちぇるさんの「若さ、立場で軽く見ないで」という意見に賛成です。なぜならば、若いからって答えがちがっていると決めつけられたくないからです。私は、お母さんに意見を言ったら、私の方が長く生きているから、私が合っているから自分がまちがっていると決めつけられて、すごくいやなことがありました。たしかに長く生きている方がえらくてよく知っているかもしれません。しかし、若い人の意見を聞いて考えてみるだけで、正解の意見に近づくと思います。だから、大人は若い人の意見も聞くべきです。

（237字）

　200字をオーバーしてしまいましたが、**最初は字数を気にしないでください**。どんどん書いて、周りの人と見せ合うことで「こうすれば短く書けるのだな」「こうやって長く引き伸ばすのか」とわかってくるはずです。

　ぜひ、ご家族や友人と一緒に挑戦してみてくださいね。

はじめは何から書けばよいか分かりませんでしたが「意見」「理由」
「経験」「結論」の型通りにしてみるとスラスラ書けたので
自分でもおどろきました!!。これからも型に沿ってスラスラ書きたいです。

清水先生の
コメント

小学生は100字書ければ十分です。
最初はきれいな文章を書こうとしなくてOK。
まずは「型」を体で習得してくださいね。

保護者の方へ

「どれくらいの分量が書ければいいのか」という質問をよくいただきますが、おすすめは200字。なぜならば、この「意見→理由→経験→結論」で無理なく書けて、達成感が味わえるからです。

　そして、200字で書いていると、テストでもいいことがあります。中学受験や高校受験で「意見文」が出る場合、200字程度がとても多いからです。先ほど説明した4つの型がそのまま使えます。大学受験でも、800字くらいが多い。この場合、「いつも書いている200字の4倍くらいだな。じゃあ、これくらいの時間がかかりそうだな」と計算することができます。

　また、「このやり方で、本当にテストの点が上がるの?」と不安な方もいるかもしれません。安心していただきたいので、少し解説をさせてください。

　全国さまざまな入試で出題されていますが、試験においては何が「正しい意見文」とされているのでしょうか?　東京都教育委員会がHPで公開している、都立高校の採点基準(採点のポイント)をヒントに考えてみましょう。

　書かれていることは本書で説明したこととほとんど変わらず、主に以下の3点です。

① テーマに即した自分の意見、主張が適切に書かれている

② 筆者の主張を的確にとらえ、その主張を踏まえて、文章が適切に書かれている

③ 自分の意見、主張の根拠となる具体的な体験や見聞について、適切に書かれている

　これを見てお気づきになると思いますが、「意見→理由→経験→結論」の型と非常によく似ています。

　この型を、課題文の筆者の主張を踏まえたうえで書けるようになれば、試験をつくっている教育委員会が「正しい」としている文章になり、結果的に点数も取れそうですよね。

ま　と　め

　僕は全国で、親子で学ぶ作文のイベントをやっています。朝日新聞さんにスポンサーで入っていただき、記事を提供してもらい、みんなで意見文を書くのです。

　いつも子ども向けに話しているのですが、驚くことに、「大人でも使えます」と言われることがあります。お話を聞いてみると、仕事のプレゼンテーションでも活用できそうだ、とのことでした。

　これは僕も同感です。「意見→理由→経験→結論」の型は、年齢に関係なく、さらには「書く」だけではなく「話す」ときにも、説得力のあるプレゼンテーションを可能にします。

　社会人になっても使える型ですので、「試験のため」だけでなく「人生のため」に、身につけてもらいたいと思っています。

おわりに

　ふせんはビジネスシーンではよく使われています。ただ、子どもたちにはそんなになじみがありません。「なぜだろう」と不思議に思っていましたが、この本を書く途中で、その答えに気がつきました。

　今の教育には「発想」というワークが、足りなすぎる。

　ふせんがビジネスの会議で使われるときは「新しいことを生み出そう」というときに、もっとも活躍します。たとえば、ブレーンストーミングをする（お互いのアイデアを否定せず、ひたすらアイデアを出す）とき。書いたものをホワイトボードにペタペタ貼って構造化していくのは、もはや文化のように思います。

　本書を書きはじめたときは、「子どもたちにも同じようにたくさん使ってもらおう」と思っていましたが、「あれ、そんなときってほとんどないぞ」と気づいたのです。学校の教室で、総合学習や探究の授業がある場合は、たまに使うことはありますが、ふだんの学習で使われることはほとんどありません。

「暗記ドア」や「おうち英語図鑑」など、紹介したいアイデアはたくさんあったので書くのに苦労はしませんでしたが、ちょっと寂しい気持ちになったのをここに書き留めておきます。

　ふせんは、文房具です。ただ、単なる文房具ではありません。**発想や整理、そして深化といった思考の補助ツールです。僕にとっては、思考を支えてくれる「相棒」です。**

　今は教育改革の真っただ中。2020年、2030年と改革が進むなか、

もっと教育にクリエイティブな部分が持ち込まれて、本来の（一般的な）使われ方が、子どもたちの間でも浸透してくれたらいいなと願っています。

　この本を書くにあたって、多くの方々にお世話になりました。

　まずは、出版の機会を与えてくださったディスカヴァー・トゥエンティワンの三谷祐一さまです。『中学生からの勉強のやり方』『図解 中学生からの勉強のやり方』『中学生からの勉強のやり方（改訂版）』の3冊に加えて、今回もすべてプロデュースと編集をしていただきました。温かく励ましてくださり、ありがとうございました。

　また、「ふせんを通して学力向上を実現したい」というコンセプトに賛同してくださり、初版の付録のふせんを快く提供してくださった、スリーエム ジャパン株式会社の坪井璽さまのおかげで、このような類書のない本ができ上がりました。感謝申し上げます。

　さらに、八尾直輝、大朏時久、岸誠人、渡邉健太郎、安原和貴、池航平、関口慧、浄泉和博をはじめとするプラスティーの仲間たちの力も借りました。いつも支えてもらえて、とても心強く思っています。

　最後に、ふせんとの出会いをつくってくれた両親と、一緒にリビングで勉強していた2人の兄と、最愛の妻と娘に心からの感謝の意を表します。

2020年3月　清水章弘

巻末付録

「おうち英語図鑑」で使ってみよう！ 厳選英単語・フレーズ・漢字リスト

❶ 中学生レベルの英単語

○	自転車	bicycle(bike)	○	テレビ	television
○	車	car	○	ラジオ	radio
○	バイク	motorcycle	○	ストーブ	stove
○	扉	door	○	パソコン	computer
○	壁	wall	○	冷蔵庫	refrigerator
○	天井	ceiling	○	洗濯機	washing machine
○	床	floor	○	掃除機	vacuum cleaner
○	窓	window	○	オーブン	oven
○	階段	stairs	○	電子レンジ	microwave oven
○	照明	light	○	棚	shelf
○	机	table(desk)	○	たんす	chest
○	椅子	chair	○	花瓶	vase
○	ソファー	sofa	○	カレンダー	calendar
○	時計	clock	○	筆箱	pencil case
○	電話	telephone	○	ハサミ	scissors

☐	シャープペンシル	mechanical pencil	☐	スーツ	suit
☐	ボールペン	ballpoint pen	☐	ベルト	belt
☐	ノート	notebook	☐	ネクタイ	tie
☐	教科書	textbook	☐	眼鏡	glasses
☐	消しゴム	eraser	☐	帽子	cap (hat)
☐	紙	paper	☐	靴下	socks
☐	本	book	☐	腕時計	watch
☐	かばん	bag	☐	トランプ	playing card
☐	リュックサック	backpack	☐	スマートフォン	smart phone
☐	長靴	boots	☐	おもちゃ	toy
☐	かっぱ	raincoat	☐	人形	doll
☐	靴	shoes	☐	箱	box
☐	洋服	clothes	☐	スプーン	spoon
☐	セーター	sweater	☐	フォーク	fork
☐	Tシャツ	T-shirt	☐	おはし	chopsticks
☐	ワイシャツ	shirt	☐	やかん	kettle
☐	ズボン	pants	☐	なべ	pan
☐	スカート	skirt	☐	お皿	plate
☐	制服	uniform	☐	コップ	cup (glass)
☐	コート	coat	☐	缶	can

○	びん	bottle		○	兄、弟	brother
○	ボウル	bowl		○	姉、妹	sister
○	せっけん	soap		○	祖父	grandfather
○	歯ブラシ	toothbrush		○	祖母	grandmother
○	鏡	mirror		○	男の子	boy
○	タオル	towel		○	女の子	girl
○	シャンプー	shampoo		○	男の人	man
○	くし	comb		○	女の人	woman
○	ブラシ	brush		○	頭	head
○	ベッド	bed		○	鼻	nose
○	カーテン	curtain		○	耳	ear
○	毛布	blanket		○	髪の毛	hair
○	枕	pillow		○	顔	face
○	パジャマ	pajamas		○	口	mouth
○	カーペット	carpet		○	目	eye
○	こども	child(kid)		○	手	hand
○	大人	adult		○	指	finger
○	赤ちゃん	baby		○	腕	arm
○	お母さん	mother(mom)		○	首	neck
○	お父さん	father(dad)		○	足	leg(foot)

☐	ひざ	knee	☐	0	zero
☐	おなか	stomach	☐	1	one
☐	胸	chest	☐	2	two
☐	あご	chin	☐	3	three
☐	肩	shoulder	☐	4	four
☐	家	home(house)	☐	5	five
☐	部屋	room	☐	6	six
☐	お風呂場	bathroom	☐	7	seven
☐	台所	kitchen	☐	8	eight
☐	トイレ	restroom (bathroom)	☐	9	nine
☐	寝室	bedroom	☐	10	ten
☐	玄関	entrance	☐	11	eleven
☐	リビング	living room	☐	12	twelve
☐	円	circle	☐	100	one hundred
☐	正方形	square	☐	1000	one thousand
☐	長方形	rectangle	☐	(〜)月	month
☐	三角形	triangle	☐	1月	January
☐	ハート	heart	☐	2月	February
☐	星	star	☐	3月	March
☐	数	number	☐	4月	April

☐	5月	May	☐	食事	meal
☐	6月	June	☐	果物	fruit
☐	7月	July	☐	いちご	strawberry
☐	8月	August	☐	オレンジ	orange
☐	9月	September	☐	りんご	apple
☐	10月	October	☐	バナナ	banana
☐	11月	November	☐	もも	peach
☐	12月	December	☐	ぶどう	grape
☐	日	day	☐	さくらんぼ	cherry
☐	日曜日	Sunday	☐	キウイ	kiwi fruit
☐	月曜日	Monday	☐	なし	pear
☐	火曜日	Tuesday	☐	パイナップル	pineapple
☐	水曜日	Wednesday	☐	メロン	melon
☐	木曜日	Thursday	☐	レモン	lemon
☐	金曜日	Friday	☐	野菜	vegetable
☐	土曜日	Saturday	☐	きゅうり	cucumber
☐	昨日	yesterday	☐	キャベツ	cabbage
☐	今日	today	☐	かぼちゃ	pumpkin
☐	明日	tomorrow	☐	とうもろこし	corn
☐	食べ物	food	☐	じゃがいも	potato

☐	にんじん	carrot	☐	鶏肉	chicken
☐	たまねぎ	onion	☐	ハム	ham
☐	にんにく	garlic	☐	ベーコン	bacon
☐	トマト	tomato	☐	飲み物	drink
☐	たまご	egg	☐	ジュース	juice
☐	米、ごはん	rice	☐	熱い味噌汁	hot miso soup
☐	パン	bread	☐	冷たい水	cold water
☐	バター	butter	☐	水	water
☐	ジャム	jam	☐	緑茶	green tea
☐	はちみつ	honey	☐	紅茶	tea
☐	ソース	sauce	☐	牛乳	milk
☐	チーズ	cheese	☐	コーヒー	coffee
☐	あめ	candy	☐	赤色の	red
☐	砂糖	sugar	☐	青色の	blue
☐	塩	salt	☐	黄色の	yellow
☐	コショウ	pepper	☐	黒色の	black
☐	あぶら	oil	☐	白色の	white
☐	肉	meat	☐	オレンジ色の	orange
☐	牛肉	beef	☐	金色の	gold
☐	豚肉	pork	☐	銀色の	silver

☐	緑色の	green		☐	若い	young
☐	紫色の	purple		☐	古い	old
☐	ピンク色の	pink		☐	いそがしい	busy
☐	茶色の	brown		☐	うつくしい	beautiful
☐	灰色の	gray		☐	すてきな	wonderful
☐	水色の	light blue		☐	暗い	dark
☐	良い	good		☐	強い	strong
☐	悪い	bad		☐	かわいい	pretty
☐	簡単	easy		☐	怖い	scared
☐	難しい	difficult		☐	人気がある	popular
☐	大きい	large(big)		☐	かたい	hard
☐	小さい	small(little)		☐	やわらかい	soft
☐	熱い・暑い	hot		☐	ぬれた	wet
☐	あたたかい	warm		☐	かわいた	dry
☐	すずしい	cool				
☐	冷たい・寒い	cold				
☐	偉大な・すばらしい	great				
☐	良い・すてきな	nice				
☐	すぐれた・晴れた	fine				
☐	あたらしい	new				

❷ 覚えておきたい英文・フレーズ

貼る場所

ベッド／枕元	☐ おはようございます。	文	Good morning.
リビングのドア	☐ こんにちは。	文	Hello.
ベッド／枕元	☐ おやすみなさい。	文	Good night.
リビングのドア	☐ 調子はどう?	文	How are you?
ダイニングテーブル	☐ おいしい!	文	Delicious!
	☐ 私はお腹がすきました。	文	I'm hungry.
	☐ 私はのどが渇きました。	文	I'm thirsty.
	☐ 私はお腹いっぱいです。	文	I'm full.
勉強机	☐ 私は宿題をしています。	文	I'm doing my homework.
	☐ 私の部屋をきれいにする	フレーズ	clean my room
電気のスイッチ近辺	☐ 電気をつける	フレーズ	turn on the light
	☐ 電気を消す	フレーズ	turn off the light
洗面所の鏡	☐ お風呂に入る	フレーズ	take a bath
	☐ シャワーを浴びる	フレーズ	take a shower
	☐ 歯を磨く	フレーズ	brush my teeth

❸ ちょっと難しい漢字

■リビング

☐	椅子	いす
☐	棚	たな
☐	図鑑	ずかん
☐	辞典	じてん
☐	冷房	れいぼう
☐	暖房	だんぼう
☐	御飯	ごはん
☐	加湿器	かしつき
☐	除湿機	じょしつき
☐	空気清浄機	くうきせいじょうき
☐	扇風機	せんぷうき
☐	鞄	かばん

■寝室

☐	掛布団	かけぶとん
☐	敷布団	しきぶとん

■キッチン

☐	珈琲	コーヒー
☐	冷蔵庫	れいぞうこ
☐	冷凍庫	れいとうこ

☐	排水口	はいすいこう
☐	蕎麦	そば
☐	即席麺	そくせきめん

※漢字を覚えるのが好きな子は「檸檬（れもん）」「南瓜（かぼちゃ）」「西瓜（すいか）」のように、家にある野菜や果物の漢字を調べて覚えていくのもおすすめです。クイズ番組でよく出題されるので、正解できると、いっそう好きになると思います。

■洗面所・お風呂

☐	化粧品	けしょうひん
☐	眼鏡	めがね
☐	蛇口	じゃぐち
☐	洗濯機	せんたくき
☐	乾燥機	かんそうき
☐	柔軟剤	じゅうなんざい
☐	掃除道具	そうじどうぐ
☐	浴槽	よくそう

■玄関

☐	傘	かさ
☐	靴	くつ
☐	革靴	かわぐつ

東大式ふせん勉強法

発行日　2020年3月25日　第1刷

Author	清水章弘
Illustrator	坂木浩子（ぽるか）
Book Designer	小口翔平＋喜來詩織（tobufune）
Publication	株式会社ディスカヴァー・トゥエンティワン
	〒102-0093 東京都千代田区平河町2-16-1 平河町森タワー11F
	TEL　03-3237-8321（代表）　03-3237-8345（営業）
	FAX　03-3237-8323
	http://www.d21.co.jp
Publisher	谷口奈緒美
Editor	三谷祐一　牧野類

Publishing Company
蛯原昇　千葉正幸　梅本翔太　古矢薫　青木翔平　岩崎麻衣　大竹朝子　小木曽礼丈
小田孝文　小山怜那　川島理　木下智尋　越野志絵良　佐竹祐哉　佐藤淳基　佐藤昌幸
直林実咲　橋本莉奈　原典宏　廣内悠理　三角真穂　宮田有利子　渡辺基志　井澤徳子
俵敬子　藤井かおり　藤井多穂子　町田加奈子　丸山香織

Digital
Commerce Company
谷口奈緒美　飯田智樹　安永智洋　大山聡子　岡本典子　早水真吾　磯部隆　伊東佑真
倉田華　榊原僚　佐々木玲奈　佐藤サラ圭　庄司知世　杉田彰子　高橋雛乃　辰巳佳衣
谷中卓　中島俊平　西川なつか　野﨑竜海　野中保奈美　林拓馬　林秀樹　松石悠
三輪真也　安永姫菜　中澤泰宏　王廳　倉次みのり　滝口景太郎

Business
Solution Company
蛯原昇　志摩晃司　瀧俊樹　野村美紀　藤田浩芳

Business
Platform Group
大星多聞　小関勝則　堀部直人　小田木もも　斎藤悠人　山中麻吏　福田章平
伊藤香　葛目美枝子　鈴木洋子　畑野衣見

Company
Design Group
松原史与志　井筒浩　井上竜之介　岡村浩明　奥田千晶　田中亜紀　福永友紀
山田諭志　池田望　石光まゆ子　石橋佐知子　川本寛子　宮崎陽子

Special thanks to
スリーエム ジャパン株式会社
株式会社 YRK and
タガイマサカズ　仲将風

Proofreader	文字工房燦光
DTP	朝日メディアインターナショナル株式会社
Printing	日経印刷株式会社

ISBN978-4-7993-2590-2　　©Akihiro Shimizu, 2020, Printed in Japan.

Discover

人と組織の可能性を拓く
ディスカヴァー・トゥエンティワンからのご案内

本書のご感想をいただいた方に
うれしい特典をお届けします！

特典内容の確認・ご応募はこちらから

https://d21.co.jp/news/event/book-voice/

最後までお読みいただき、ありがとうございます。
本書を通して、何か発見はありましたか？
ぜひ、感想をお聞かせください。

いただいた感想は、著者と編集者が拝読します。

また、ご感想をくださった方には、お得な特典をお届けします。